DEMIAN

ANDREA:

Justo como Abraxas renace de las cenizas del fuego, asi nuestro amor de los recuerdos y la pasion vivida cada año, cada mes y cada dia a tu lado. Y asi como Abraxas renace para la eternidad, igualmente mi amor por ti. Sabes que eres muy especial en mi vida y cuanto te aprecio, jamas dejare de amarte.

Sigue siendo tan responsable como hasta ahora, esfuerzate al maximo cada dia solo asi seguiras cosechando exitos como hasta ahora en tu vida. Estoy muy orgulloso de Ti. Te amo.

Se que eres muy inteligente, y estoy seguro el libro te va agustar, con todo mi amor para ti. Suerte en tu vida y todo el exito en ella.

-Exito es el proposito-

Ricardo M.

Hasta pronto
Ricardo

ANDREA y RICARDO

RICARDO

1ᵉʳ AÑO

HERMANN HESSE

DEMIAN

Demian

Hermann Hesse

Edición: 2007

© Derechos reservados conforme a la Ley, 2007
Ediciones Leyenda, S.A. de C.V.
Ciudad Universitaria No. 11
Col. Metropolitana 2a. Sección
Ciudad Nezahualcóyotl
Estado de México
C.P. 57730
Tel.: 57 65 73 50, Tel./Fax.: 57 65 72 59

ISBN 968-5146-12-8

Miembro de la Cámara Nacional
de la Industria Editorial, Reg. No. 3108

www.leyenda.com.mx
ediciones_leyenda@hotmail.com

Impreso en México - Printed in Mexico

INTRODUCCIÓN

Para dar inicio a narrar mi historia, tendré que comenzar en el pasado. De ser posible, me tendría que remontar todavía más, hasta mis primeros años de infancia, e incluso quizá, hasta la lejanía de mis ancestros.

Los poetas, cuando escriben novelas, se inclinan a actuar como si fuesen Dios y pudieran mirar toda una historia humana, comprendiéndola y relatándola como si Dios se las hubiese contado, sin ningún velo manifestando en todo momento, su más íntima esencia. Yo no me siento capaz de hacerlo, como tampoco los poetas. Pero mi historia es más importante para mí, que para cualquier poeta la suya, ya que es la mía y la historia de un hombre: no la de un hombre ficticio o inexistente, sino la de un hombre real único y vivo. Hoy sabemos menos que nunca, lo que esto significa, un hombre realmente vivo, y por eso se destruye a millares de hombres, cada uno de los cuales es una valiosa creación de naturaleza. Sería fácil hacernos desaparecer con una bala de fusil, si no fuéramos algo más que individuos aislados, y en ese caso, no tendría objeto contar historias. Pero cada hombre, no es tan solo él mismo, sino el punto único, singular e importante, en el que se entrelazan los fenómenos del mundo, una sola vez y nunca más. Es por eso, que la historia de cada hombre, mientras viva y cumpla la voluntad de la naturaleza, es digna de toda la atención, ya que es algo maravilloso. En cada hombre, hay un espíritu que sufre, y es crucificado, y en cada crucificado hay un salvador. Hoy, muy pocos saben lo que es el hombre, tal vez lo presienten algunos, y éstos mueren más aliviados, como yo moriré cuando termine de relatar esta historia.

No puedo decir que soy un sabio. He sido un hombre que busca y sigue buscando, pero ya no en las estrellas y en los libros, sino que empiezo a escuchar las enseñanzas de mi sangre.

Ésta, mi historia, no es dulce ni agradable, pues no es una historia inventada, sino que tiene un sabor a insensatez, a locura, a confusión y a sueño, como la historia de los hombres que no quieren decirse mentiras a sí mismos.

La vida de cada hombre es un sendero que lleva hacia sí mismo la huella de un camino. Nunca un hombre ha sido por completo él mismo, pero todos tienen la aspiración de llegar a serlo, unos en las tinieblas, otros con un rayo de luz, cada uno como puede. Todos llevan consigo hasta el final, las viscosidades y cáscaras de un mundo primordial. Algunos no llegan jamás a ser hombres, siguen siendo rana, ardilla o tal vez hormiga. Otros son mitad pez, y mitad hombre. Pero cada uno es un ímpetu de la naturaleza hacia el hombre. Todos tenemos un origen común: la madre; todos procedemos de la misma montaña; pero cada uno tiene su propia meta —como una proyección e impulso desde lo más hondo—, a su propio fin. Podemos entendernos unos a otros, pero comprendernos, sólo cada uno lo puede hacer consigo mismo.

1 DOS MUNDOS

Empiezo mi historia con una peripecia de la época cuando yo tenía diez años y estudiaba en el colegio de nuestra pequeña ciudad.

Muchas cosas de aquel tiempo conservan en mí su perfume de nostalgia y de suave melancolía, callejones oscuros, calles claras, torres y casas, campanadas de reloj, caras humanas, habitaciones llenas de confort y bienestar, habitaciones colmadas de misterio y un miedo horrible a los fantasmas. Un olor a cálida intimidad, a criadas y conejos, a fruta seca y a remedios caseros. Dos mundos opuestos se confundían allí, de dos polos surgían el día y la noche.

Uno de esos mundos se reducía a la casa paterna, más claramente, y en realidad, a mis padres. En su mayor parte este mundo se llamaba padre y madre, amor y severidad, ejemplo y escuela. A este mundo pertenecían la claridad y la limpieza. Ahí habitaban las buenas costumbres, las palabras amables y suaves, los vestidos limpios, las manos lavadas. Ahí se cantaba el coral matutino y celebrábamos la Navidad, y en este mundo estaban trazadas las líneas rectas, los caminos conducentes a un buen futuro, la culpa y el perdón, el deber, la confesión y los buenos hábitos y el amor y respeto a la Biblia. En este mundo había que mantenerse dentro de la vida bella y ordenada, clara y limpia.

El otro mundo empezaba en nuestra propia casa, pero era totalmente diferente: olía diferente, hablaba de otra forma, exigía y prometía otras cosas. En este segundo mundo existían historias de aparecidos, criadas y aprendices, rumores escandalosos; había un estridente ruido de cosas terribles y enigmáticas, como la cárcel y el matadero, voces de mujeres chillonas y de borrachos, vacas que estaban pariendo y caba-

7

llos que se desplomaban, se contaban leyendas de asesinatos, robos y suicidios. Todo esto, hermoso y horrible, salvaje y cruel nos rodeaba, en el próximo callejón, en la siguiente casa, los policías y los ladrones merodeaban, los borrachos golpeaban a las mujeres, y las viejas podían embrujar y poner enfermos, cuando anochecía, las jóvenes salían abigarradas de las fábricas, los ladrones se escondían en los parajes cercanos y los perdularios caían en manos de los guardias. Por todos lados pululaba este mundo impetuoso y violento, por todos lados, menos en nuestras habitaciones; donde estaban mi madre y mi padre. Y así estaba bien que fuera, pues era hermoso que entre nosotros hubiera paz y tranquilidad, conciencias limpias y sentido del deber, amor y perdón. Pero también era maravilloso que existiera todo lo demás, lo horrible y lo ruidoso, lo cruel y brutal, pues de todo esto se podía huir, refugiándose en el regazo de la madre.

Y lo más asombroso es que estos dos mundos estuvieran tan cerca uno del otro. Como ejemplo, puedo citar a nuestra criada Lina, pues en las noches, cuando rezaba y cantaba con su voz clara, en el cuarto de estar, junto con toda la familia, con sus manos limpias y su delantal planchado y almidonado, pertenecía por completo al mundo de mis padres, a nosotros, a todo lo que era limpio y decoroso, claro y recto. Pero después, cuando estaba en la leñera o la cocina, cuando me relataba historias de hombres sin cabeza, o cuando peleaba con las vecinas en la carnicería, era otra completamente distinta. Pertenecía al otro mundo que estaba rodeado de misterio.

Así acontecía con todo, y más que nada, conmigo mismo. Sí, yo pertenecía, desde siempre, al mundo recto y lleno de luz, pero adondequiera que mirase o escuchase, allí estaba el otro mundo, y también, claro, yo vivía en ese otro mundo, aunque a veces me resultara extravagante y siniestro, y allí, frecuentemente, me asaltaban el miedo y los remordimientos. A veces yo prefería vivir en el mundo prohibido, y otras tantas, al regresar a la claridad y a lo limpio, se parecía un regreso a algo menos hermoso, más tedioso y vacío. Yo sabía que mi objetivo en la vida era llegar a ser como mis padres, limpios y superiores, pero el camino era largo y cansado, ir a la escuela, estudiar para aprender, pasar pruebas y exámenes, y el camino iba siempre al borde del otro mundo más oscuro. A veces al atravesarlo, no era difícil caerse y hundirse en él. Se contaban historias de hijos perdidos, a quienes esto les había acontecido, historias que yo leía con verdadera pasión. Retornar al hogar paterno redimía de toda culpa y era grandioso y excelso. Yo sabía que esto era lo más bueno y deseable, pero la otra parte, la que se desenvolvía entre los perversos, los sucios y los malos, era más atrayente, y si lo hubiera podido confesar, casi sentía pena porque el hijo pródigo regresase al sendero del bien.

Pero esto no se podía pensar, y menos decir, existía muy adentro de la conciencia. Cuando pensaba en el demonio, me lo podía imaginar en la calle, disfrazado o al natural, en las tiendas, o en una taberna, pero jamás en nuestra casa.

Mis hermanas, naturalmente, pertenecían también a aquel mundo luminoso y bello. A mí me parecía que estaban más cerca de nuestros padres, eran más buenas y con menos defectos que yo. También tenían errores, pero yo suponía que no eran cosas profundas y no sentían lo que yo, al aproximarme y sentirme más atraído hacia el mundo tortuoso y prohibido, agobiante y doloroso. Las hermanas debían ser respetadas y cuidadas, igual que los padres, y cuando algunas veces peleaba con ellas, me sentía malo y perverso, y con un remordimiento de conciencia hasta que no les pedía perdón. Porque al ofender a las hermanas, se ofendía a los padres, a las buenas costumbres, a la bondad y a la dulzura. Había misterios, que yo compartía mejor con los golfos de la calle que con mis hermanas. En tiempos buenos, cuando mi conciencia estaba tranquila, era delicioso jugar con ellas, ser bueno y cortés y verme a mí mismo con un aura de bondad. ¡Así debían sentirse los propios ángeles!, rodeados de canciones suaves y dulces, aromas deliciosos como la felicidad y la Navidad. ¡Qué pocos eran aquellos momentos y aquellos días! Cuando jugaba con ellas a juegos inofensivos y buenos, yo era violento y apasionado, y acabábamos casi siempre en pelea y desastre. Cuando me dejaba dominar por la ira, era yo un ser perverso que hacía y decía cosas de una maldad terrible y esto lo sentía profunda y ardientemente. Después venían las horas penosas del arrepentimiento y la contrición, el momento amargo de pedir perdón, hasta que un rayo de luz surgía, y aparecía de nuevo la tranquilidad y la paz, paz que duraba horas o momentos.

Yo asistía al Colegio de Letras, igual que el hijo del alcalde y el del guardabosque, que eran compañeros míos de clase. A veces venían a casa a jugar conmigo. Eran chicos terribles, pero pertenecían al mundo bueno y permitido. Aunque sentíamos desprecio por los chicos que iban al colegio popular, yo mantenía amistad profunda con algunos de ellos. Precisamente con uno de ellos, voy a comenzar mi relato.

Una tarde que nos dieron libre —tenía yo alrededor de los diez años—, jugaba con dos chicos de la vecindad, cuando se nos unió un muchacho mayor, más fuerte y grande que nosotros, pues tenía trece años y era grandullón y brutal. Era hijo de un sastre de la localidad, bebedor empedernido, y toda su familia gozaba de mala fama. Yo le tenía miedo a Franz Kromer, pues lo conocía bien y no me pareció que se uniera a nuestros juegos. Tenía modales de hombre grande y siempre imitaba los andares y la forma de hablar de los obreros de las fábricas. Por mandato de él descendimos a las orillas del río, cerquita del puente, y nos escondimos de la vista del mundo, bajo uno de los arcos del puente. La orilla estrecha entre la pared del arco y el agua que fluía del río, guardaba escombros, trastos rotos, alambres enredados y oxidados y otras muchas basuras. De vez en cuando se encontraban algunas cosas que nos podían servir, y bajo la dirección de Franz Kromer nos pusimos a hurgar el terreno para traerle lo que encontráramos. Éste se guardaba lo que quería, y lo demás lo volvía a tirar al agua. Tenía inclinación por los objetos de zinc o de plomo. Yo me sentía muy mal en su compañía, no porque supiera que si mi padre se enteraba de esto me iba a reñir, pues tenía prohibida su compañía, sino por miedo a Franz mismo. Sin embargo, me sentía contento de que me dejara jugar con él y me tratara igual que a los otros chicos. Él siempre daba las órdenes, y nosotros le obedecíamos como si fuera una vieja costumbre, aunque en realidad era la primera vez que yo trataba con él.

Después de un rato, nos sentamos en el suelo. Franz escupía por entre los dientes, y siempre daba en el blanco que quería, haciéndose el muy hombre. Empezaron una conversación, y los chicos fanfarroneaban de sus travesuras en la escuela. Yo me mantenía en silencio, pero me daba miedo llamar la atención de Franz, y despertar su ira precisamente con mi silencio. Desde el principio, mis dos compañeros se unieron a Kromer y se habían apartado de mí. Yo era un advenedizo entre ellos y sentía que mis ropas y mis modales los estaban provocando. Me parecía imposible que Franz me aceptara a mí, niño bien nacido y alumno de la mejor escuela; los otros dos chicos —yo me percataba de ello— blasfemarían de mí en el momento oportuno, y me dejarían plantado.

Al fin, venciendo el miedo que sentía, empecé también a contar. Inventé una leyenda de ladrones, y por supuesto, yo era el héroe principal. Les platiqué que de una huerta cercana me había robado una noche, con la ayuda de un compañero, un buen saco de manzanas, pero no de las corrientes, sino de las más finas; o sea de las más caras. Queriendo huir de los peligros del momento, me refugié en esa historia que inventé, ya que para mí narrar e inventar, me resultaba bastante fácil. Urdí más y más mentiras, con tal de no terminar pronto y tal vez enredarme en cosas más malas. Uno de nosotros, seguí inventando, se quedó acechando mientras que el otro, subido en el árbol, tiraba las manzanas. Como el costal pesaba tanto, al fin, tuvimos que vaciar la mitad, pero en menos de media hora regresamos a recoger las que habíamos dejado.

Al final de mi relato, esperé algún aplauso, pues había entrado en calor dejándome llevar por mi fantasía. Los dos chicos se quedaron callados y Franz Kromer, mirándome a los ojos, me preguntó en tono de reto:

—¿Eso es verdad?

—Sí —respondí.

—¿De verdad?

—Sí, de verdad —contesté imperturbable, mientras que el miedo se apoderaba de mí.

—¿Me lo juras?

Tuve un miedo indecible, pero rápidamente contesté que sí.

—Entonces repite: lo juro por Dios y por mi salvación eterna.
Yo repetí:

—Por Dios y por mi salvación eterna.

—Está bien —contestó, y se alejó de mí.

Yo estaba seguro que con eso ya no me molestaría, y me dio gusto cuando se levantó y nos dijo que nos fuéramos. Cuando llegamos al puente, yo dije timorato, que tenía que volver a casa.

—No corre tanta prisa —dijo riéndose Franz—, no corras tanto que llevamos el mismo camino.

Franz caminaba lentamente, y yo no me decidí a escaparme, porque de veras, íbamos por el camino a mi casa.

Cuando llegamos, vi la puerta con su grueso aldabón dorado, la luz del sol iluminando las ventanas del cuarto de mi madre. El regreso a mi casa. ¡Dichoso regreso a casa, a la paz y al bienestar!

Rápidamente abrí el portón dispuesto a cerrarla detrás de mí, pero Kromer entró junto conmigo. En el zaguán, donde apenas entraba una poca de luz, se me acercó y cogiéndome de un brazo me dijo:

—Oye, no corras tanto.

Yo lo vi espantado. Su mano se aferraba a mi brazo brutalmente. Me pregunté si querría pegarme. Si yo gritara fuerte —pensé—, ¿vendría alguien rápidamente a salvarme? Pero no lo pude hacer, no me decidí a gritar.

—¿Qué te pasa? —le pregunté— ¿Qué cosa quieres?

—Nada en especial. Quiero preguntarte algo sin que los otros se enteren.

—¡Está bien! Pregunta lo que quieras pronto, porque ya me tengo que subir.

—Dime quién es el dueño del huerto que está junto al molino; tú lo sabes, ¿verdad? —me dijo Franz muy quedo.

—Creo que es del molinero, pero no lo sé de cierto.

Franz me tenía abrazado fuertemente, y sus ojos me miraban con un brillo siniestro y maligno, su cara irradiaba crueldad y poder.

—Oye chiquillo, yo sí sé de quién es el huerto. Yo ya sabía lo del robo de las manzanas, y sé que el dueño ha prometido dos marcos a quien le diga quién fue el autor del robo.

—¡Virgen santa! —le dije—. ¿Pero tú no se lo dirás, verdad?

Yo sabía que era inútil apelar a su honor. Franz pertenecía al "otro mundo". Para él la traición era cosa común. Yo estaba consciente de ello. En esto, la gente del "otro mundo", era diferente a nosotros.

—Te equivocas si piensas que no se lo voy a decir —se carcajeó Kromer—. ¿Piensas que yo tengo fábrica de dinero? Yo no tengo un padre que me pueda dar lo que yo quiero. Si puedo ganarme dos marcos, que me dará el molinero, no voy a desaprovechar la ocasión.

Quizá me dé algo más.

De pronto me soltó. Mi zaguán ya no tenía ese olor a paz y seguridad. El mundo se derrumbó a mis pies. Él me acusaría. Yo era un delincuente, un ladrón. Llegaría a oídos de mi padre y tal vez viniera la policía por mí, hasta mi propia casa. Me acosaban todos los horrores. Todo lo malo y peligroso se me venía encima. Yo en realidad no había robado las manzanas, pero eso no tenía importancia, pues yo le había jurado que sí. ¡Dios mío! ¡Santo Dios!

Yo tenía ganas de llorar. En ese instante se me ocurrió que podría pagarle con algo. Busqué en mis bolsillos, pero no tenía ni una manzana, ni una navaja, nada tenía yo. Me acordé del reloj que me había regalado mi abuela, aquel viejo reloj de plata, que no funcionaba, pero que yo llevaba puesto. Me lo quité rápidamente.

—Kromer —supliqué—, por favor no me denuncies, eso no está bien. Ten, te regalo mi reloj, no tengo nada más. Quédatelo, es de plata, está descompuesto, pero se puede componer.

Kromer se río, me quitó el reloj con su enorme mano, esa mano que amenazaba mi vida y mi tranquilidad.

—Es de plata —dije con timidez.

—No me importan nada ni tu plata ni tu reloj —dijo con profundo desprecio—. Arréglalo tú.

—Espera Franz —grité muerto de miedo. ¡No te vayas, toma el reloj, es de plata, y no tengo otra cosa!

Me miró con frío desdén.

—Bueno, chiquito; ya sabes a dónde voy a ir. Quizá se lo diga a la policía. Conozco muy bien al sargento.

Abrió la puerta para salir. Yo lo jalé de la manga. Eso no podía ser. Quisiera haber muerto antes que soportar todo lo que iba a pasar si él se iba.

—Franz —le grité con gran agitación—, ¡no hagas tonterías! Estás bromeando, ¿no?

—Sí, una broma que te va a costar muy cara.

—Dime qué quieres que haga; haré lo que tú me digas.

Me miró con su mirada de hielo y se echó a reír.

—¡No seas niño! —dijo con falsa cortesía—. Tú estás enterado de lo que se trata. Si puedo ganarme esos dos marcos, no los voy a dejar perder. Ya te dije que no soy rico ni tengo un padre que me dé dinero. Tú tienes hasta reloj de plata. Dame esos dos marcos, y todo marchará de maravilla.

Comprendí su lógica. Pero, ¡dos marcos para mí!, era igual que si me pidiera diez o cien. Yo no tenía nada de dinero. Tenía una alcancía que mi madre guardaba en su habitación, en la que había algunas monedas de las que me regalaban los tíos y parientes cuando venían a visitarnos. Fuera de esto, ¡no tenía nada! En esos tiempos, no me daban aún dinero para mis gastos.

—No tengo dinero —dije bajando la cabeza—. Te daré todo lo que tengo: un libro, unos soldados, mi brújula.

—Kromer me miro agresivamente, y escupió por un colmillo.

—No digas necedades, ¡imbécil! —me gritó en tono autoritario— ¡Una brújula, idiota! No hagas que me enoje y dame el dinero.

—¿De dónde quieres que lo saque, si no me dan dinero? No tengo la culpa.

—Mañana me traerás los dos marcos. Te espero en el mercado, cuando salgas de la escuela. Si no me los traes, ¡atente a las consecuencias!

—Por Dios, Kromer, ¿de dónde quieres que los saque? No los tengo.

—En tu casa hay bastante dinero. Tú ve cómo le haces, porque mañana te espero después del colegio. Te juro que si no me los traes...

Me volvió a mirar amenazador y se desapareció de mi vista como una sombra.

No podía entrar a la casa. Mi vida había terminado. Tuve la idea de escaparme, de tirarme al río, pero todos mis pensamientos eran confusos. Me senté en el último escalón y me ensimismé en mi desgracia.

Lina, al bajar a coger leña, me encontró llorando.

Le supliqué que no dijera nada y me subí. En la percha, junto a una gran puerta de cristal, colgaban la sombrilla de mi madre y el sombrero de mi padre. La paz y la tranquilidad del hogar, estaban representados para mí con esos objetos. Mi corazón los saludó con agradecimiento. Pero todo aquello ya no era mío, era el mundo de mis padres, el bueno y el limpio, y yo estaba hundido en la vertiente de lo desconocido. Había caído en las garras de la mentira y del pecado; me amenazaba el enemigo, los peligros y la vergüenza.

El gran cuadro que estaba sobre la chimenea, el suelo de rojo ladrillo, el sombrero y la sombrilla y las voces de mis hermanas mayores, todo esto me era más querido y valioso que nunca, pero ¡ya no era el refugio y la seguridad!, sino un reproche. Todo esto lo había perdido. El barro que llevaba en las botas no se limpiaba en el tapete de la entrada y de las sombras que me amenazaban y perseguían, mi hogar nada sabía. Los temores secretos que había tenido, me parecían de risa, comparados con lo que hoy traía en mi espíritu. El destino se ensañaba contra mí, y los brazos de mi madre, ya no podrían protegerme y nada debía saber. Importaba poco que mi delito fuera robo o mentira; ¿no había yo jurado por Dios y mi salvación? Mi pecado no era ni lo uno ni lo otro. Yo iba de la mano del diablo. ¿Por qué había salido con ellos? ¿Por qué obedecí mejor a Kromer que a mi padre? ¿Por qué me ufané de haber inventado la historia del robo como si esto fuera una hazaña? Ahora estaba atrapado en las garras de Satanás.

En esos instantes no sentía yo miedo por el día siguiente, sino que estaba cierto y seguro de que mi vida había tomado un derrotero entre tinieblas. Sentía con toda claridad que a mi delito seguirían otros, que mis besos y saludos a mis hermanas eran mentiras, porque escondían un secreto.

La confianza volvió hacia mí por unos instantes, al contemplar el sombrero de mi padre. Podría decirle todo y recibir su regaño y su castigo. Podría decirle la verdad y esto sería mi salvación. Sería como otras veces, una reprimenda, un castigo, y después el perdón del arrepentimiento.

¡Qué apacible me parecía todo esto! Pero yo sabía que no lo haría. Sabía que mi secreto y mi culpa la llevaría yo solo. Ahora me encontraba ante dos caminos, y tal vez mi vida ya pertenecía al "mundo de los malos"; compartir secretos con los perversos y depender de ellos. Había querido hacerme el héroe muy hombre, y ahora tendría que pagar las consecuencias.

Me dio gusto que mi padre observara mis zapatos mojados y llenos de lodo. Esto haría que distrajera su atención y no pudiera advertir lo peor. Sentí en mí un sentimiento lleno de maldad. ¡Me sentía yo superior a mi padre! Me embargó un profundo desprecio hacia él por su ignorancia. Su regaño por las botas mojadas me parecía irrisorio. ¡Si supieras mi secreto! —pensaba como un delincuente al que interrogan por un pequeño robo, siendo que en su conciencia llevaba asesinatos. Era un sentimiento feo y confuso, pero tan fuerte que me ataba con fuerza a mi secreto y a mi delito. Tal vez, me imaginaba yo, Kromer ya me había denunciado a la policía; la tormenta se desataría, y aquí me estaban regañando como a un niño.

De todo lo que llevo relatado hasta aquí, este suceso constituyó lo más importante. Fue el primer rompimiento a los pilares que constituían la divinidad con que yo veía a mi padre; fue el primer resquebrajamiento a la confianza que yo sentía en mi padre, y que todo hombre tiene que romper para sentirse él mismo. Estos acontecimientos forman, aunque nadie los ve, la línea esencial de nuestro destino. El desgarrón se cura y cicatriza, y también se olvida, pero en lo íntimo del ser, continúa sangrando. Me asusté del nuevo sentimiento que experimentaba; quisiera haberme arrojado a los pies de mi padre para besárselos y pedirle perdón. Pero no es posible pedir perdón por algo esencial. Esto lo sabe y lo siente un niño igual que un sabio.

Tenía que pensar mucho este asunto y trazar nuevos senderos para el día siguiente, pero no podía hacerlo. Quería acostumbrarme al ambiente que se había transformado y que reinaba en nuestro cuarto de estar. La mesa, el espejo, la Biblia, los libros y los cuadros me decían adiós. Un frío aterrador se apoderó de mí al verme obligado a contemplar cómo mi vida buena y ejemplar se transformaba en algo pasado, y se desligaba de mí. Me sentía atado a estas raíces del mundo extraño y tenebroso. Descubrí lo amargo de la muerte, y este sabor amargo es también nacimiento, porque es miedo ante una aterradora renovación.

Al fin llegó la hora de acostarme; tuve que aguantar los rezos y cánticos de la noche. Cantaron una de mis canciones predilectas. Y digo cantaron, porque yo no pude cantar, pues cada nota era hiel y veneno para mí. Tampoco pude rezar con ellos, y cuando mi padre dio gracias y terminó con las palabras: "Tu espíritu esté con nosotros", me aparté de la comunidad. La gracia de Dios estaba con todos menos conmigo. Me fui a mi cuarto profundamente cansado.

Después de un rato en la cama, cuando el calorcillo y la seguridad me cobijaban con cariño, volvió otra vez la angustia a mi pobre corazón. Me daba miedo todo lo que había pasado. Mi madre me acababa de echar su bendición; aún sentía yo sus pasos cerca de mí en la habitación siguiente. Ahora, ahora mismo volverá, me dará un beso y me preguntará con dulzura y comprensión. Yo le diré toda la verdad y me echaré a llorar en su regazo, y esto será mi salvación, ya que todo volverá a la normalidad. Me quedé un rato tenso, convencido de que así tendría que pasar.

Después volvieron mis penas y mis angustias y me enfrenté a mi enemigo, a quien veía claramente guiñándome un ojo, su boca reía estrepitosamente mientras yo lo veía, seguro de que no podría escaparse. Él se agrandaba y se hacía cada vez más feo; sus ojos malvados lanzaban destellos diabólicos. Estuvo junto a mí hasta que el cansancio me venció. Después tuve un sueño, no con los acontecimientos de aquel día, sino que soñé que mis hermanas y mis padres íbamos en una barquilla y nos rodeaba la luz y la paz de un día de vacaciones. El sabor de la felicidad embargaba mi alma cuando desperté. Todavía veía yo brillar los trajes albeantes de mis hermanas bajo el sol. De aquel paraíso pasé a la realidad, y de nuevo me encontré con el enemigo de aquellos ojos malvados.

Cuando mi madre entró apresuradamente diciendo que se hacía tarde, me preguntó por qué todavía estaba yo acostado y que tenía muy mala cara. No le pude contestar y me vomité.

Hubiera parecido que con aquello ganaba algo. A veces me gustaba estar enfermo disfrutando la cama la mañana entera, viendo cómo el sol jugueteaba en mi habitación; ver cómo mi madre arreglaba el cuarto, y oír cómo Lina discutía con el carnicero en el pasillo. Una mañana sin ir al colegio, era algo de ensueño. Sin embargo, hoy no me parecía tan hermoso todo esto y todo me sonaba a mentira.

¡Ojalá y estuviera yo muerto! Pero esto no era de muerte, solamente me sentía mal como otras veces, y esto no arreglaba nada mi problema. Hoy me libraba del colegio, pero no de Kromer, que sin duda me esperaría en el mercado. Este día el amor de mi madre no me llegaba a consolar. Me sentía yo molesto y malhumorado. Fingí estar dormido para poder pensar. A las diez me levanté y dije que ya me sentía mejor. Me respondieron que me volviera a meter a la cama, o de lo contrario, en la tarde tendría que ir a la escuela. Les dije que sí iría al colegio. Yo ya me tenía trazado un plan.

Sin el dinero que Kromer me exigía, no podría presentarme ante él. Tendría que sacarme la alcancía, ya que de todos modos guardaba mi dinero. Lo que ésta tenía, no era suficiente, yo ya lo sabía, pero algo es algo, y yo sospechaba que esto era mejor que nada. Tal vez Kromer con esto se calmaría.

Me sentí muy mal al entrar, sin zapatos, al cuarto de mi madre, para sacar la alcancía. Pero no me sentía tan mal como ayer. Casi me ahogaba del susto, y no me fue mejor, al descubrir que la alcancía estaba bien cerrada. Pero era fácil abrirla; sólo tendría que romper la rejilla y sacarle el dinero. Esto me atormentaba, pues esto era realmente robar, aunque fuera mi propio dinero. Me percaté de que esto me acercaba más a Kromer y al mundo de los malos. Hasta ahora, sólo había escamoteado dulces y frutas. Poco a poco me hundía más, pero no quise desistir de ello. ¡Al demonio todo! Ahora ya no me podía echar para atrás. Me puse a contar el dinero. La alcancía hacía gran ruidero, pero en mi mano, era una miseria de sesenta y cinco centavos. Dejé la alcancía escondida debajo de la escalera, y con "mi dinero" salí de la casa, con una sensación nueva para mí. Alguien me estaba llamando desde arriba, pero no hice caso y me eché a correr.

Aún no era la hora convenida, y para hacer tiempo, fui dando rodeos por las callecillas de la ciudad, bajo unas nubes que nunca había visto, entre edificios que me miraban y entre la gente que sospechaban de mí. Hubiera yo querido encontrarme dinero para completarle a Kromer. Hubiera querido rezar para que aconteciera un milagro. Pero yo ya no tenía derecho a rezar, además esto no arreglaba la alcancía rota.

Kromer vio que yo ya venía, pero se fue acercando lentamente haciéndose el que no me había visto, Cuando estuvo frente a mí, me hizo una seña para que lo siguiera. Bajó por la calle Stroggasse, cruzó y se detuvo frente a un edificio en construcción, ya en las afueras de la ciudad. A esas horas, ya nadie estaba trabajando en la obra. Los muros se levantaban desnudos sin ventanas ni puertas. Franz miró a su alrededor y se metió en el edificio a medias. Yo le seguí. Tendió la mano y me preguntó:

—¿Traes el dinero?

Dejé caer todo mi dinero en su mano. Al contarlo me dijo:

—Son sesenta y cinco centavos.

Me miró fríamente.

—Sí —contesté con timidez—. Ya sé que no es suficiente, pero es todo lo que tengo. No tengo más.

—Te creía más vivo —me contestó casi con bondad—. Entre hombres: tiene que haber honor. No quiero nada de ti que no sea justo. ¡Toma tu dinero! Quien tú sabes, pagará sin regatear.

—¡De veras, no tengo más; son todos mis ahorros!

—Eso a mí no me importa. Pero veamos, no trato de hacerte daño. Me debes aún un marco con treinta y cinco centavos. ¿Cuándo me los vas a pagar?

—Te juro que te los pagaré. No te puedo decir cuándo, pero quizá mañana o pasado tengas tu dinero. Debes comprender que no puedo decírselo a mi padre.

—¡Ya te dije que a mí eso no me importa! Te dije que no quiero hacerte daño. Estoy seguro que ese dinero estaría en mis manos antes del mediodía. Tú sabes que soy pobre y tu comida es mucho mejor que la mía. Tú tienes mejor ropa que la mía, pero no diré nada; podré esperar un poco. Pasado mañana te llamaré en la tarde. ¿Conoces mi silbido?

Me chifló una señal que yo ya había oído otras veces.

—Sí —dije—, ya la conozco.

Se alejó haciendo como si no me conociera. Esto había sido un negocio y nada más.

Todavía hoy me espantaría el silbido de Kromer si lo volviera a oír. Desde ese día, lo tuve que seguir oyendo muchas veces. Tenía la impresión de oírlo persistentemente. Desde ese día, ya no hubo juego, pensamiento o trabajo donde no llegara ese silbido que me tenía esclavizado. En las tardes de otoño, a veces bajaba yo al jardín de la casa, para jugar a ser niño más chico, niño bueno y sin pecados. De pronto, desde cualquier parte, oía yo el silbido de Kromer, siempre esperado pero siempre inoportuno y convulsivo. Entonces, tenía que salir para seguir a mi verdugo a sitios tenebrosos y oscuros, disculparme y oír su voz amenazadora exigiéndome dinero. Esto no fue mucho tiempo, serían unas semanas, pero sin embargo a mí me parecieron años, la misma eternidad. Raras veces podía yo conseguir dinero, cuando Lina olvidaba en la cocina la bolsa con el dinero de la compra, le escamoteaba yo un marco. Kromer siempre se enojaba conmigo y me hundía con su amargo desprecio, pensando que yo trataba de engañarlo y de estafarlo, que era yo un desgraciado, pues estaba tratando de robarle lo suyo. Nunca me he sentido tan desdichado ni sentido mayor desesperanza.

Había llenado la alcancía con fichas de jugar, y la había puesto otra vez en su sitio. Nadie preguntó por ella, pero yo sabía que cualquier día esto se me podría venir encima. Casi tanto como al silbido de Kromer, temía yo a mi madre cuando se acercaba a mí cariñosamente; ¿me preguntaría por la alcancía?

Muchas veces me tuve que presentar a mi verdugo sin dinero, éste empezó a torturarme y a utilizarme de otro modo. Hacía que yo trabajara para él. Me forzaba a hacer en su lugar, los recados que le encargaba su padre, o me ponía a sal-

tar diez minutos con una pata coja, o a ponerle a un transeún-
te un monigote en el trasero. Estos suplicios se prolongaban
en las noches y se me volvían pesadillas. A veces despertaba
yo empapado en sudor.

Después caí enfermo. En el día vomitaba a menudo, y tenía
un frío atroz. Sin embargo, por las noches me daba calentura
y sudaba copiosamente. Mi madre se dio cuenta de que algo
andaba mal en mí, y se mostraba más cariñosa conmigo, y
esto era un martirio, ya que yo no podía ser franco con ella.

Un día mi madre me trajo un trocito de chocolate a mi cama.
Aquello me recordaba mejores tiempos, cuando recibía estos
dulces sorpresas porque me había portado bien. Me dolía tanto el recuerdo, que únicamente pude mover la cabeza. Ella me
acarició el pelo y me preguntó qué me pasaba. Sólo le pude
responder: "Nada, nada; por favor no me des nada". Me dejó el
chocolate en el buró, y se salió de mi habitación. Al otro día,
cuando me preguntó sobre lo sucedido, me hice el que no me
acordaba de nada. Otro día, trajo al médico, que me hizo un
reconocimiento y me recetó baños fríos por la mañana.

En aquel tiempo mi estado físico era una especie de desqui-
ciamiento. En medio de la paz que reinaba en mi hogar, yo
vivía atormentado y torturado como un fantasma; no podía
participar en la vida de los demás, y pocas veces me podía
olvidar de mí mismo. Mi padre, cuando algunas veces me in-
terrogaba irritado, yo me mostraba hermético y frío.

2 CAÍN

Mi salvación se me presentó de una manera totalmente inesperada, y vino acompañada al mismo tiempo, de algo nuevo que ha seguido actuando en mi vida.

En el colegio habían inscrito a un nuevo alumno hacía pocos días. Era el hijo de una viuda rica que se había cambiado a nuestra ciudad y llevaba un listón negro en la manga. Iba un grado más adelante que yo, pues era unos años más grande, pero a mí, como a casi todos, me llamó poderosamente la atención.

Este alumno tan sorprendente, se veía mucho mayor de lo que realmente era. Entre nosotros, se movía como un hombre maduro, como un señor. No participaba en las peleas ni en los juegos. Nos gustaba su tono decidido y seguro frente a los profesores. Se llamaba Max Demian.

No sé por qué motivos, un día instalaron una nueva clase en nuestra aula. Nosotros, los más pequeños, teníamos Historia Sagrada, y los mayores tenían que hacer una redacción. Mientras nos explicaban la historia de Caín yo observaba fascinado la cara de Demian, pues me atraía su seguridad e inteligencia, cuando realizaba su trabajo con atención y carácter. Parecía un investigador dedicado a su trabajo, en vez de un alumno haciendo sus tareas. No me parecía simpático; al contrario, sentía en el fondo, algo contra él. Me resultaba demasiado seguro de sí mismo, superior y decidido. En sus ojos veía yo la expresión de los adultos —expresión que no gusta a los niños—, con destellos de ironía y de tristeza. Me sentía atraído por él inconscientemente, me gustara o no; sin embargo, cuando él me miraba a mí, yo apartaba los ojos atemorizado. Si yo recuerdo el aspecto de Demian en aquel entonces, diría yo que era completamente diferente a todos los demás, ya que tenía una recia personalidad muy definida. Tal vez por eso mismo me llamaba la atención, aunque él hacía todo lo posible por pasar inadvertido, y se comportaba como un príncipe disfrazado que se encuentra entre gente de campo y quiere parecer uno de ellos. Cuando terminaron las clases me siguió. Me alcanzó y me saludó cuando todos los demás se dispersaron por el patio. Este saludo resultaba demasiado cortés, aunque imitara nuestro tono de colegiales.

—¿Nos vamos juntos? —me preguntó en tono amable.

Me sentí satisfecho y contesté que sí. Entonces le expliqué por dónde vivía.

—¡Ah! ¿Allí? —dijo muy sonriente—. Conozco tu casa. Sobre la puerta hay una cosa muy curiosa que me interesó desde que la vi.

Me sorprendió que conociera mi casa, mejor que yo, y al principio, no supe a lo que se refería. Debía ser al escudo que estaba sobre el portón. Había sido pintado varias veces, ya que con el paso del tiempo se habla desgastado. Creo que no tenía nada que ver con nuestra familia.

—No sé lo que es —dije con timidez—. Creo que es un pájaro o algo parecido. Ha de ser muy antiguo. Creo que mi casa antiguamente era un convento.

—Puede que sí —contestó él—. Míralo bien; esas cosas a veces son muy interesantes. Más bien parece un gavilán.

Seguimos adelante, yo muy turbado. Demian se río de pronto, como si algo muy gracioso se le hubiera ocurrido.

—Hoy he asistido a tu clase —dijo animadamente—. Sobre la historia de Caín, el que llevaba un estigma en la frente, ¿no? ¿Te gustó?

Definitivamente no, ya que pocas veces me gustaba algo que tenía que estudiar. Sin embargo, no me atreví a decirlo, ya que era como si estuviera hablando con una persona adulta. Contesté que la historia me gustaba.

Demian me dio unas palmaditas en el hombro.

—No necesitas decir mentiras, amigo, pero esa historia es realmente muy rara, mucho más que las que se tratan en la clase. El profesor no ha explicado mucho, sólo lo rutinario sobre Dios y el pecado. Yo pienso...

Sonriendo me preguntó:

—Oye, ¿pero esto te agrada? Yo pienso —continuó— que la historia de Caín se puede interpretar de otra manera muy distinta. Casi todas las cosas que nos enseñan son verdaderas, pero se pueden mirar desde otro punto de vista y entonces las podremos entender mucho mejor. Por ejemplo, no se puede quedar satisfecho con la explicación que nos dieron de Caín y la señal que lleva en la frente; ¿no lo crees así? Que uno mate a su hermano en un pleito, puede ser, que luego se arrepiente, también puede ser; pero que precisamente por esa cobardía le premien con una distinción que le proteja y que inspire temor a los demás, eso sí no me parece.

—Sí, eso es verdad —dije conmovido. Este asunto empezaba a intrigarme—. ¿Pero cómo vas a interpretar entonces la historia?

Me dio una palmada en el hombro.

—¡Muy sencillo! La deshonra fue lo que existió, en un principio, y en ésta se basó la historia. Hubo un hombre con algo en la cara que les daba miedo a los demás. No se atrevían a tocarlo; él y sus hijos estaban de impresionar. Tal vez, o más bien seguramente, no se trataba de una señal en la frente, de algo como un sello, la vida no puede ser así, la vida no suele ser tan burda. Tal vez fuera algo apenas perceptible e inquietante. Algo más audaz en su mirada, ya que tenía poder, aquel hombre sólo inspiraba temor. Debió haber llevado una "seña". Esto se podía explicar como uno quisiera, y siempre se prefiere lo más fácil y que da la razón. Les tenían miedo a los hijos de Caín, que llevaba aquella "seña". Ésta no se podía interpretar como lo que era, como una distinción, sino lo contrario. La gente decía que aquellos tipos eran perversos, y a decir verdad, lo eran. Los hombres de carácter y valor, siempre han parecido inquietantes para las demás personas. Que una raza de hombres siniestros y perversos anduviera suelta, resultaba muy incómodo, y por eso les pusieron un apodo y les inventaron un cuento, para vengarse de ellos y así poder justificar todo el miedo que sentían por ellos. ¿Entiendes?

—Sí, entiendo que Caín no fue tan malo; pero, ¿entonces toda la historia de la Biblia es una mentira?

—Sí y no. Esas antiguas historias son siempre verdaderas, pero no siempre han sido transmitidas como debiera ser. Yo pienso que Caín fue un gran hombre, y le inventaron toda esa leyenda, precisamente porque le tenían miedo. Todo esto empezó con una simple murmuración; sólo era verdad lo referente al estigma que Caín y sus hijos llevaban, cosa que les hacía diferentes a los demás.

Todo esto lo escuchaba yo estupefacto.

—¿Tú crees que el asesinato de Abel tampoco fue verdad? —me atreví a preguntar asombrado.

—¡Claro que sí! Seguramente eso fue verdad. El más fuerte mató al más débil. Que fuera su hermano, eso si ya está dudoso, pero eso no tiene importancia, al fin de cuentas, todos los hombres somos hermanos. Así las cosas, el fuerte mató al débil. Tal vez fue un acto heroico, tal vez no lo fue. Al fin de cuentas, los débiles sintieron miedo y empezaron a hacer lamentaciones, y a responder cuando alguien les preguntaba "¿por qué no lo matan?" "No se puede, está marcado por Dios, pues tiene una seña en la frente"; en lugar de contestar: "No lo matamos porque somos unos cobardes." Así nació esa mentira. Ya no te quiero entretener más. ¡Adiós amigo!

Dio vuelta por la esquina de Altagasse, yo me quedé solo, asombrado como jamás lo había estado. En cuanto desapareció, todo lo que me había dicho me pareció lo más increíble del mundo. ¡Caín un hombre bueno y Abel un cobarde! La seña que llevaba Caín era una distinción. Esto era una blasfemia absurda. Pero, ¿Dios dónde estaba? ¿No había aceptado el sacrificio de Abel? ¿No lo quería tal vez? ¡Simples tonterías! Empecé a sospechar que Demian había querido burlarse de mí para ponerme en ridículo. Demian era un muchacho muy listo e inteligente, que además hablaba muy bien. Pero esto no, no podía ser.

De cualquier forma, nunca había pensado tanto sobre una historia aunque esto fuera o no la Biblia. Tampoco me había olvidado tanto y por tanto tiempo de Franz Kromer. ¡Una tarde completa! Ya en mi casa volví a leer la Biblia, y ésta era clara y concisa. Me parecía insensato buscarle otra interpretación especial y secreta. ¡Cualquier facineroso se podría declarar elegido de Dios! Esto resultaba un disparate¡ Sólo que Demian podía decir las cosas de una manera tan natural, y ¡con qué mirada!

De cualquier manera, en mí algo andaba muy desordenado. Yo había vivido en un mundo claro y diáfano; había sido una especie de Abel, y ahora, me encontraba hundido en "el otro mundo". Había rodado tan bajo, y sin embargo, no era tan culpable. ¿Qué había pasado? En ese instante me asaltó un recuerdo que casi me deja sin respiración. En aquella tarde malhadada, cuando empezó mi actual desgracia, había sucedido eso mismo con mi padre; durante un instante fue como si le hubiera quitado la máscara y sentía desprecio profundo hacia él, a su mundo y a su sapiencia. En aquel momento, yo me sentía Caín, y que llevaba un estigma sobre mi frente, y ese estigma era un privilegio que me hacía superior a mi padre y a los buenos y piadosos, precisamente por mi maldad y perversidad.

Todo esto no fue en mí, por aquel entonces, un pensamiento claro y diáfano, pero las intuí en una llamarada de emociones y de impulsos singulares que me hacían daño pero que me llenaban de orgullo.

¡Qué manera tan extraña tenía Demian para hablar de los cobardes y los valientes! ¡De qué manera había interpretado la señal en la frente de Caín! ¡Cómo brillaban sus ojos, sus extraños ojos de hombre! De repente se me ocurrió una idea confusa: ¿No sería Demian una especie de Caín? ¿Por qué le defendía si no se sintiera identificado con él? ¿Por qué tenía ese poder en la mirada? ¿Por qué hablaba con tal desprecio de los "otros", de los piadosos y temerosos que eran en verdad los elegidos de Dios?

Con estos pensamientos no pude llegar a ninguna conclusión. En el pozo había caído una piedra, y el pozo era mi alma joven. Durante mucho tiempo la historia de Caín con el homicidio y la "señal" fue el punto de partida de todos mis intentos de conocimiento, duda y crítica.

Pude observar que también mis otros compañeros se preocupaban mucho de Demian. Yo no había comentado con nadie nuestra plática sobre Caín pero Demian interesaba también a los otros. De todos modos, surgieron muchos rumores sobre el alumno nuevo. ¡Si aún pudiera yo recordarlos a todos!, cada uno de ellos arrojaría algo de luz sobre él; cada uno tendría una interpretación diferente. Sólo recuerdo que primeramente se dijo que la madre de Demian era muy rica. También se comentaba que nunca iba a la iglesia y su hijo tampoco asistía a ella. Algunos decían que eran judíos, pero también se comentaba que eran mahometanos, y celebraban en secreto sus ritos.

También se contaban cosas fabulosas sobre la fuerza física de Max Demian. Era el más fuerte de su clase y había humillado al que lo había retado a una pelea y le llamó cobarde porque no quería aceptarla. Los testigos de aquella pelea decían que lo había cogido por la nuca con una mano, y lo había apretado con tal fuerza, que el otro palideció y pidió clemencia, abandonando la lucha. También se dijo que durante varios días no había podido mover los brazos, y una tarde se comentó que había muerto. Esto se creyó durante algunos días. Todo en Demian era raro y excitante. Después se dejó de hablar de Demian durante algún tiempo, pero no mucho, pues, enseguida, surgían nuevas historias entre los chicos, afirmando que Demian tenía relaciones íntimas con varias muchachas y que lo "sabía todo".

Mi asunto con Franz Kromer mientras tanto seguía su trayectoria fatal. No podía sentirme libre, pues aunque a veces me dejaba tranquilo durante muchos días, yo me sentía encadenado a él. En mis sueños siempre estaba junto a mí como una sombra, y lo que no me hacía en la realidad, mi fantasía en sueños me convertía en su esclavo. Terminé por vivir más en estos sueños que en la realidad. Siempre he soñado mucho y estas sombras me robaban fuerzas y vida. Entre otras cosas, soñaba con insistencia que Kromer me maltrataba, me escupía y se arrodillaba sobre mí, y lo peor de todo era que me inducía a cometer, con su tremenda influencia, graves delitos y crímenes. El más terrible de estos sueños, del que desperté al borde de la locura, era una tentativa de asesinato contra mi propio padre. Kromer afilaba un cuchillo y me lo ponía en las manos. Nos escondíamos detrás de algunos árboles y estábamos esperando a alguien, yo no sabia a quién, y cuando apareció una sombra y Kromer me indicó, apretándome el brazo, que esa era la persona a la que debía asesinar, vi que era mi padre. Entonces desperté.

En medio de todo esto, pensaba aún algunas veces en la leyenda de Caín y Abel, pero ya muy poco en Demian. Volvió a aparecer, es curioso, también en sueños. Una vez más soñé que era maltratado, pero esta vez, en lugar de ser Kromer, era Demian el que se arrodillaba sobre mi cuerpo. Pero —siendo esto nuevo, me impresionó profundamente—, todo lo que había sufrido de Kromer con angustia indecible, lo sufría a gusto bajo Demian, con un sentimiento de placer y temor. Este sueño lo tuve dos veces, después Kromer volvió a ocupar su lugar.

No puedo ya diferenciar con exactitud lo que viví en sueños y en la realidad. Pero mi relación con Kromer siguió su curso, y no terminó cuando, a fuerza de pequeños hurtos, acabé de pagarle la suma convenida. Ahora Franz sabía y conocía esos hurtos, invariablemente me preguntaba de dónde había yo sacado el dinero—, y me tenía más y más en su poder. A veces me amenazaba con contárselo a mi padre, y entonces, el temor de que cumpliera su amenaza, era más grande y profundo que el dolor de no haberlo hecho yo mismo desde un principio. De todos modos, y no obstante mi hondo desprecio por mí, no acababa de lamentar todo aquello, al menos no siempre, y a veces creía que debía ser así, y que sobre mí pesaba un maleficio que era inútil tratar de separarme de él.

Es de suponer que mi extraño comportamiento hacía sufrir a mis padres. Yo estaba poseído por un espíritu extraño, ya no podía estar en nuestra comunidad, a la cual había estado tan unido y a la que solía añorar como un paraíso perdido. Mi madre me trataba más bien como a un enfermo que como a un malvado, pero mi verdadera situación se veía claramente reflejada en el comportamiento de mis hermanas, que era cariñoso, pero que me hacía sentir más desdichado, dejando ver que se me consideraba como a un poseído, más digno de lástima que de reproches, pero del cual se adueñó el mal al fin. Sabía que rezaban por mí de manera diferente que antes, y advertía que todo era inútil. A veces sentía una imperiosa necesidad de alivio, la necesidad imperiosa de una confesión; pero presentía que ni a mi padre ni a mi madre podría decírselos y explicárselos claramente. Sabía que escucharían con cariño mis palabras, que me tratarían con cariño y tal vez hasta me compadecerían, pero no me comprenderían del todo, y que todo aquello sería considerado como una especie de extravío siendo como era, pura fatalidad.

Sé que muchos no creerán que un niño de casi once años pueda sentir todo esto. No escribo para ellos este relato: lo cuento a los que conocen mejor al ser humano. El adulto, que ha aprendido a modificar en ideas parte de sus sentimientos, echa de menos éstos en el niño y cree que las vivencias tampoco han existido. Por mi parte, no he sentido nunca en mi vida nada tan profunda y hondamente como entonces.

Un día de lluvia me citó mi verdugo en la plaza del Castillo, y lo estaba esperando allí, hurgando con los pies en la hojarasca mojada que caía de los negros castaños chorreantes. Yo no tenía dinero, pero traía dos pedazos de pastel que había apartado, para no presentarme a Kromer con las manos vacías. Ya estaba acostumbrado a esperar así en cualquier esquina, y me resignaba a ello como el hombre se resigna a lo que no puede evitar.

Por fin apareció Kromer. Aquel día me entretuvo poco. Me dio unos puñetazos en las costillas, se rió, se comió el pastel, me ofreció un cigarrillo húmedo que yo rechacé. Esta vez estaba más amable que de costumbre.

Al marcharse me dijo:

—Oye, la próxima vez podías traer contigo a tu hermana, la más grande. ¿Cómo se llama?

No acertaba a comprenderlo, permanecí mudo mirándolo con asombro.

—¿Qué te pasa? ¡Tienes que traer a tu hermana! ¿O no entiendes?

—Kromer, eso no puedo hacerlo; además ella se negaría a venir.

Me figuraba que aquella singular petición no era más que un nuevo subterfugio para atormentarme. Así lo acostumbraba hacer, me exigía cosas imposibles, me asustaba, me humillaba y luego se avenía a un compromiso, teniendo yo que pagar el rescate con nuevas cantidades de dinero u otros objetos.

Pero esta vez era diferente. Casi no se enfadó ante mis negativas.

—Está bien —dijo ligeramente—. Ya tendrás tiempo de pensarlo. Quiero conocer a tu hermana. No faltará alguna ocasión. La traes de paseo y yo me hago el encontradizo. Mañana hablaremos sobre este asunto.

Cuando Kromer se fue comencé a darme alguna cuenta de lo que significaba su deseo. Yo era aún un niño, pero sabía de oídas que los chicos y las chicas, cuando eran un poco más grandes, podían hacer entre sí ciertas cosas misteriosas, indecentes y prohibidas. De repente vi con claridad lo monstruoso de aquella nueva exigencia de Kromer, y decidí no prestarme jamás a ella. Pero no me atrevía a pensar lo que sucedería y cómo querría vengarse Kromer de mí.

Desesperado, crucé la plaza desierta, con las manos metidas en los bolsillos. ¡Nuevos tormentos y nueva esclavitud!

Una voz fresca y grave pronunció de pronto mi nombre. Me asusté y eché a correr. Alguien corría detrás de mí y sentí una mano que me sujetó suavemente. Era Max Demian.

Me rendí.

—¿Eres tú? —pregunté con inseguridad—. ¡Qué susto me diste!

Me miró de una manera que nunca me había parecido tan penetrante, tan adulta y tan sensata como en esos momentos. Hacía mucho tiempo que no habíamos vuelto a hablar.

—Lo siento —me dijo con sus modales tan correctos—. Pero, oye, ¡no debe uno asustarse así!

—Hay veces que no se puede remediar.

—Eso parece. Pero, mira: si te asustas así delante de alguien que no te ha hecho nada, ese alguien empezará a pensar. Dirá que eres muy asustadizo y "eso sólo pasa cuando se tiene miedo". Los cobardes siempre tienen miedo y yo no creo que tú seas un cobarde, ¿verdad? Sé que tampoco eres un héroe. Hay cosas que te dan miedo; también hay hombres a los que les tienes miedo, y eso no debe ser. No, nunca hay que tenerle miedo a los hombres. A mí, por ejemplo, no me tendrás miedo, ¿o quizá sí?

—Oh, no, a ti no.

—¿Lo ves? Pero hay personas de las que tienes miedo. —No lo sé... Déjame. ¿Qué cosa quieres de mí?

Demian seguía a mi lado, aunque yo había apresurado el paso pensando en huir. Sentía su mirada penetrante sobre mí.

—Supónte que te quiero bien —continuó—. No tienes por qué tenerme miedo, pero me gustaría hacer contigo un experimento; es divertido, y además aprenderás algo, lo que nunca está de más... Verás. Algunas veces intento practicar un arte que consiste en leer el pensamiento. No se trata de brujerías, pero cuando no se sabe cómo se hace, resulta muy extraño. La gente se queda asombrada. Vamos a probar contigo. He dicho que te quiero bien, que me intereso por ti, y ahora quisiera saber qué cosas suceden en tu interior. Para ello ya he dado el primer paso. Te he asustado, eres, pues, asustadizo. Hay por lo tanto, cosas y hombres a los que les tienes miedo. ¿Por qué? No tienes que tener miedo de nadie. Si le temes a alguien, ese alguien tiene poder sobre ti. Por ejemplo, hemos hecho algo malo y el otro lo sabe y tiene entonces poder sobre nosotros. ¿Entiendes? Está claro, ¿no?

Lo miré perplejo. Su rostro aparecía grave e inteligente, como siempre, y también bondadoso, pero sin rasgo alguno de ternura, más bien severo. No supe qué decir. Me parecía tener un mago ante mí.

—¿Me has entendido? —preguntó de nuevo.

Asentí con la cabeza. No podía articular palabra,

—Ya te dije —continuó— que resulta muy raro esto de leer los pensamientos, pero en el fondo es una cosa muy fácil. Podría decirte también lo que pensaste de mí cuando te hablé de la historia de Caín y Abel, Pero vamos: esto no viene a cuenta. Incluso creo posible que hayas soñado conmigo. Dejémoslo también. Eres un muchacho inteligente. ¡Los demás son tan tontos! De vez en cuando me gusta charlar con un chico sensato, en el que pueda confiar. ¿Te parece bien?

—Ya lo creo. Pero no comprendo...

—Vamos a volver a nuestro divertido experimento. Hemos descubierto que el muchacho S es un muchacho asustadizo, tiene miedo a alguien; probablemente comparte con ese alguien un secreto que le resulta incómodo. ¿Es así, más o menos?

Como en el sueño, me sentía subyugado por su voz y por su poderoso influjo. Asentí otra vez. ¿No hablaba por él una voz que sólo podía salir de mí mismo? ¿Que lo sabía todo? ¿Que sabía todo mejor y con más claridad que yo?

Demian me dio una fuerte palmada en el hombro.

—He acertado, pues. Ya me lo imaginaba. Ahora, otra pregunta: ¿sabes cómo se llama el chico que se marchó hace un rato?

Temblé sobrecogido. Mi secreto, rozado, se estremecía dolorosamente dentro de mí, resistiéndose a salir a la luz.

—¿Qué chico? No había ningún chico aquí. Estaba yo solo.

Demian se echó a reír.

—Suéltalo ya —dijo riendo—. ¿Cómo se llama? ¿Te refieres a Franz Kromer? —murmuré. Asintió satisfecho.

—¡Bravo! Eres un buen chico. Nos haremos amigos. Ahora tengo que decirte una cosa: ese Kromer, o como se llame, es una mala persona. Su cara me dice que es un golfo. ¿Qué opinas tú de él?

—¡Oh, sí! —suspiré—. Es terrible. ¡Es un demonio¡ ¡Pero que no se entere! ¡Por Dios, que no se entere!

¿Lo conoces? ¿Te conoce él a ti?

—No tengas cuidado. No anda ya por aquí y no me conoce... por lo menos todavía. A mí sí me gustaría conocerlo. ¿Va a la escuela?

—Sí.

—¿A qué clase?

—A la quinta. ¡Pero no le digas nada! Por favor, no le digas nada; te lo suplico.

—Estate tranquilo. No te pasará nada. Probablemente no tendrás ya ganas de contarme algo más sobre ese Kromer.

—¡No puedo! ¡No! ¡Déjame!

Permaneció en silencio durante un rato. Luego, prosiguió:

—Lo siento. Hubiéramos podido continuar un poco más el experimento. Pero no quiero atormentarte. Ya te habrás convencido de que ese miedo que le tienes no es nada bueno, ¿verdad? Un miedo así nos va destrozando, hay que liberarse de él. Tienes que hacerlo si quieres convertirte en un hombre. ¿Comprendes?

—Desde luego. Tienes razón..., pero no es posible. Tú no sabes...

—Ya has visto que algo sé, más de lo que tú creías. ¿Acaso le debes dinero?

—Sí, también. Pero no es eso lo principal. ¡No te lo puedo decir! ¡En verdad, no puedo!

—¿No te serviría de nada si yo te diera todo el dinero que le debes? Podría muy bien dártelo.

—No, no es eso. Y no le hables a nadie de esto, te lo ruego. ¡Ni una sola palabra!

—Confía en mí, Sinclair. Ya me contarás alguna vez tus secretos.

—¡Nunca! ¡Jamás! —grité violentamente.

—Como tú quieras. Sólo pienso que quizá más adelante me cuentes, más cosas. ¡Voluntariamente, por supuesto! ¿No irás a creer que yo voy a actuar como el mismísimo Kromer?

—¡Oh, no!... Pero, por ahora, no sabes nada...

—Absolutamente nada. Pienso nada más en lo que podrá ser. Pero puedes estar seguro de que nunca haré lo que Kromer. Además, a mí no me debes nada.

Nos callamos un rato y me tranquilicé un poco. Pero lo que sabía Demian cada vez me parecía más misterioso.

—Tengo que volver a casa —dijo al cabo, ciñéndose más estrechamente el abrigo bajo la lluvia—. Pero antes quisiera decirte una cosa, ya que hemos llegado tan lejos: tienes que librarte de ese tipo. Si no hay otro medio, mátalo. Me gustaría que lo hicieras y te admiraría. Incluso puede que te ayudara.

El miedo me asaltó de nuevo. Recordé de pronto la historia de Caín. Aquello empezaba a ser terrible y empecé a llorar silenciosamente. Habían demasiados enigmas a mí alrededor.

—Bueno, basta ya —sonrió Max Demian—. Vuélvete a casa. Todo se arreglará. Aunque lo más sencillo sería matarlo. Y en estas cosas lo más sencillo es siempre lo mejor. No estás en muy buenas manos con tu amigo Kromer.

Al llegar a casa me pareció que había estado fuera un año. Todo tenía otro aspecto. Entre Kromer y yo había surgido algo como un futuro, como una esperanza. ¡Ya no estaba solo! Y ahora me di cuenta de lo espantosamente solo que había permanecido durante semanas con mi secreto. Enseguida, volví a pensar lo de tantas veces: que una confesión a mis padres me aliviaría pero no me redimiría por completo. Casi me había confesado a otro, a un extraño; y el presentimiento de liberación volaba hacia mí como un fuerte perfume.

De todos modos, mis temores tardaron aún mucho tiempo en desaparecer. Estaba seguro de que todavía habría de tener largas y terribles explicaciones con mi enemigo. Mi sorpresa fue así tanto mayor al ver que todo sucedía de un modo silencioso, oculto y sereno.

El silbido de Kromer delante de mí ya no se oyó durante un día, dos, tres; una semana. No me atrevía a creerlo; y en mi fuero interno estaba alerta, no fuera a aparecer de pronto, precisamente cuando menos lo esperaba. ¡Pero no apareció! Desconfiando de mi nueva libertad, no acababa de creer enteramente en ella. Hasta que un día tropecé con Franz Kromer. Bajaba por la Seilergasse, justo a mi encuentro. Al verme se estremeció, torció la cara en una mueca terrible y se volvió sin más para no tener que encontrarse conmigo.

Fue aquel un instante inefable. ¡Mi enemigo huía de mí! ¡Mi demonio ahora me tenía miedo! La sorpresa y la alegría entraron tumultuosamente en mí.

Por aquellos días volví a ver a Demian, que me esperaba a la puerta del colegio.

—¡Hola! —le dije.

—Buenos días, Sinclair. Quería saber cómo te va. Supongo que Kromer te deja ahora tranquilo.

—Gracias a ti, ¿verdad? Pero, ¿cómo lo has conseguido? ¿Cómo? No entiendo lo que pasa. No he vuelto a saber de él.

—Me alegro. Y por si acaso se le ocurre volver —no creo que lo haga, pero de semejante canalla se puede esperarlo todo, bastará que le digas que se acuerde de Demian.

—Pero, cómo te las has arreglado? ¿Te has peleado con él? ¿Le has pegado?

No, no soy aficionado a eso. No he hecho más que hablar con él, como antes contigo, y he podido convencerlo de que lo mejor para él es dejarte ya en paz.

—¿No le habrás dado dinero?

—No, querido. Ese camino ya lo intentaste tú.

Se separó de mí, aunque yo intenté preguntarle más cosas. Me quedé con el viejo y confuso sentimiento que Demian me inspiraba, mezcla extraña de agradecimiento y recelo, admiración y miedo, simpatía y repulsa.

Me propuse volver a verlo pronto y hablar de nuevo con él de todo aquello y de la historia de Caín.

No llegué a hacerlo.

La gratitud es una virtud en la que no tengo ninguna fe, y me parecería equivocado exigirla a un niño, así que no me sorprende demasiado la tal ingratitud que demostré a Max Demian. Hoy en día creo firmemente que si Demian no me hubiera libertado de las garras de Kromer, yo habría salido de ellas enfermo y corrompido para toda la vida. Ya entonces sentí aquella liberación como el acontecimiento más grande de mi joven vida: pero al libertador mismo le eché a un lado en cuanto hubo realizado el milagro.

Como he dicho, la ingratitud no me resulta extraña. Sólo me sorprende la falta de curiosidad que demostré. ¿Cómo era posible que yo siguiera viviendo un solo día con tranquilidad sin intentar acercarme a los misterios con que Demian me había puesto en contacto? ¿Cómo podía dominar el deseo de oír más cosas sobre Caín, sobre Kromer y la lectura de pensamientos?

Es apenas comprensible y, sin embargo, es así. Me vi de repente libre de las redes infernales que me tenían preso; vi de nuevo ante mí el mundo claro y risueño y dejé de sufrir los accesos de terror y las palpitaciones que me ahogaban. El maleficio estaba roto; ya no era un condenado sometido a terribles torturas, sino otra vez un colegial, como antes. Mi naturaleza intentaba volver con toda rapidez al equilibrio y a la tranquilidad y se esforzaba sobre todo en apartar y olvidar todo lo feo y amenazador. Toda la larga historia de mi culpa y de mis terrores escapó con maravillosa rapidez de mi memoria, sin dejar aparentemente en ella cicatrices ni huellas ningunas.

También comprendo hoy que olvidara a mi salvador con la misma rapidez. Del valle de lágrimas de mi condenación, de la espantosa esclavitud a Kromer huí con todos los instintos y las fuerzas de mi alma maltrecha a refugiarme allí donde me había sentido feliz y tranquilo, al paraíso perdido que se volvía a abrir, al mundo claro de los padres y de las hermanas, a la fragancia de la pureza, a la gracia del Dios de Abel.

Ya en el mismo día de mi breve conversación con Demian, cuando, por fin, quedé plenamente convencido de haber recobrado mi libertad, sin que fueran de temer nuevas amenazas, hice lo que tantas veces y con tanta ansia había deseado: confesé. Me llegué a mi madre y le enseñé la alcancía violentada y llena de fichas en lugar de monedas, y le conté cómo mi propia culpa me había tenido mucho tiempo encadenado a un malvado que se complacía en torturarme. Mi madre no llegó a comprenderlo todo, pero vio la alcancía, vio mis ojos cambiados, oyó mi voz cambiada y sintió que había sanado y le era devuelto.

Y entonces celebré con elevados sentimientos la fiesta de mi reintegración, la vuelta al hogar del hijo pródigo. Mi madre me condujo ante mi padre, se repitió la historia, interrumpida por preguntas y exclamaciones de asombro. Mis padres me acariciaron la cabeza y suspiraban, aliviados de su preocupación. Todo era maravilloso, todo era como en los cuentos, todo se resolvía en una fantástica armonía.

En esta armonía me refugié apasionadamente. No me saciaba de comprobar que poseía de nuevo la paz y la confianza de mis padres; me convertí en un muchacho modelo, apegado al hogar, y a la hora de los rezos entonaba los viejos himnos amados con toda la nueva emoción de un converso, del hombre a quien acaban de serle perdonadas todas sus culpas.

Sin embargo, las cosas no estaban en orden. Y aquí está la razón que explica mi ingratitud hacia Demian de una manera satisfactoria. ¡Debía haberme confesado a él! La confesión habría resultado menos decorativa y emocionante, pero hubiera sido para mí más fructífera. Ahora yo me agarraba con todas mis raíces a mi antiguo mundo paradisiaco; había vuelto a él, y fui acogido con clemente indulgencia. Demian no pertenecía a este mundo, no encajaba en él. Aunque muy distintamente, era, como Kromer, un corruptor; también él me enlazaba con el "otro" mundo, con el mundo perverso y sombrío del que yo no quería volver a saber nada. No podía ni quería abandonar a Abel y contribuir a glorificar a Caín en el momento preciso en que yo mismo había vuelto a ser un Abel.

Hasta aquí, el proceso exterior. El interior, sin embargo, era otro; me sentía liberado de las garras de Kromer y del diablo, pero no por mi propia fuerza o mérito. Había intentado caminar por los caminos del mundo, pero éstos habían resultado demasiado inseguros para mí. Rescatado por una mano amiga, corrí ciegamente a refugiarme en el regazo de mi madre, en el seguro redil de una puerilidad resignada y piadosa. Me hice más niño y más dependiente de lo que era. Me sentí obligado a sustituir la dependencia de Kromer por otra nueva, pues era incapaz de andar solo, y mi ciego corazón eligió a mis padres, "al mundo luminoso", el viejo mundo querido, aunque sabía ya que no era el único. De no haberlo hecho así, tendría que haberme decidido por Demian y haberle confiado todo. Me pareció justificarme por la desconfianza que me inspiraban sus extravíos pensamientos; en el fondo, no era más que miedo. Porque Demian hubiera exigido de mí mucho más de lo que exigieron mis padres. Habría intentado hacerme más independiente con el estimulo y la exhortación, la burla y la ironía. Sí, eso lo sé yo; nada hay más molesto para el hombre que seguir el camino que le conduce a sí mismo.

Sin embargo, cerca de medio año después, no pude resistir la tentación de preguntar a mi padre, en el curso de un paseo, cómo podía ser que alguna gente proclamase a Caín mejor que Abel.

Se quedó muy sorprendido y me explicó que era una interpretación muy antigua que databa de los primeros tiempos del cristianismo; se había enseñado en determinadas sectas, entre ellas la llamada de los "cainitas". Naturalmente, aquella insensata teoría no era mas que una invención del diablo para intentar destruir nuestra fe, pues si se daba la razón a

Caín, en contra de Abel, resultaba que Dios se había equivocado, no siendo, por tanto, el Dios de la Biblia, el único, sino un Dios falso y deleznable. En realidad, esto es lo que habían predicado los "cainitas". Pero esta herejía había desaparecido hacía mucho y le sorprendía que un compañero mío hubiera llegado a saber algo de ella. De todos modos, me aconsejó seriamente que olvidara aquellos pensamientos.

3 EL MAL LADRÓN

Podría contar de mi niñez muchas cosas bellas, delicadas y amables: la apacible seguridad del hogar, el cariño infantil, la vida sencilla y fácil en un ambiente grato, tibio y luminoso. Pero sólo me interesan los pasos que di en la vida para llegar a mí mismo. Todos los bellos momentos de reposo; los islotes de felicidad y los paraísos cuyo encanto conocía quedan en la lejanía resplandeciente y no deseo volver a pisarlos.

Al evocar ahora mis años de muchacho no hablaré, pues, sino de aquello nuevo que vino a impulsarme hacia adelante, desarraigándome.

Las acometidas vinieron una y otra vez del "otro mundo" y siempre trajeron consigo miedo, violencia y remordimiento. Siempre fueron turbulentas y pusieron en peligro la paz en que yo hubiera querido vivir constantemente.

Vinieron años en los que hube de descubrir de nuevo en mí un instinto primordial que en el mundo luminoso y permitido tenía que disimularse y ocultarse. Como todos los hombres, vislumbré en el lento alborear del sentimiento del sexo la aparición de un enemigo destructor, como la tentación, lo prohibido y el pecado. Lo que mi curiosidad buscaba, lo que suscitaba sueños, placer y miedo —el gran misterio de la pubertad— no encajaba en absoluto dentro de la felicidad mimada de mi paz infantil. Hice lo que todos; viví la doble vida del niño que ha dejado ya de serlo. Mi conciencia permanecía adscrita al círculo familiar y lícito y negaba el nuevo mundo naciente en tanto yo vivía en mis sueños, instintos y deseos subterráneos, sobre los cuales construía aquella vida consciente, puentes cada vez más inseguros, pues el mundo infantil iba derrumbándose en mí. Como casi todos los padres, tampoco los míos colaboraron en el despertar de los instintos vitales, de los que nunca se hablaba. Sólo colaboraban con un cuidado infatigable en mis esfuerzos desesperados por negar la realidad y seguir viviendo en un mundo infantil, que cada día era más irreal y falso. No sé si los padres pueden hacer aquí gran cosa, y nada les reprocho a los míos. Acabar con mi problema y encontrar mi camino era sólo cosa mía; y yo no actué bien, como la mayoría de los bien educados.

Todos los hombres viven estos momentos difíciles. Para los de nivel general, es éste el punto de la existencia en el que surge la máxima oposición entre el avance de la propia vida y el mundo circuncambiante, el punto en el que se hace más duro conquistar el camino que conduce hacia adelante. Muchos viven el morir y renacer, que es nuestro destino, sólo en ese momento de su vida en que el mundo infantil se resquebraja y se derrumba lentamente, cuando todo lo que amamos nos abandona y, de pronto, sentimos la soledad y la frialdad mortal del universo que nos rodea.

Volvamos ya a la historia. Las sensaciones y los sueños en que se me anunció el término de la niñez no tuvieron importancia bastante para ser contados aquí. Lo importante fue el "mundo oscuro", el "otro mundo" que había vuelto a aparecer. Lo que en un día significó Franz Kromer se hallaba ahora en mí mismo. Y con esto, y también desde fuera, consiguió el "otro mundo" poder sobre mí.

Desde mi aventura con Kromer habían pasado ya varios años. Aquella época dramática y culpable de mi vida me era ya muy lejana y parecía haberse esfumado como una breve pesadilla. Franz Kromer hacía mucho tiempo que había desaparecido de mi vida, y apenas si me fijaba en él cuando me lo encontraba alguna vez en la calle. En cambio, la otra figura principal de mi tragedia, Max Demian, no desaparecía nunca por completo de mi horizonte, aunque durante mucho tiempo permaneciese lejos, siempre se mantuvo muy al margen, visible, pero pasivo. Lentamente fue acercándose, irradiando otra vez su fuerza y haciendo sentir su influjo.

Intento recordar lo que sé de Demian en aquella época. Puede ser que no hablara con él ni una vez durante un año o más. Lo evitaba y él no hacía nada por buscarme. Quizá me saludaba cuando alguna vez nos encontrábamos. Alguna vez me pareció advertir en su expresión amable, un rasgo sutil de burla y de irónico reproche, pero quizá fueran imaginaciones mías. La aventura que yo había vivido con él y el extraño ascendiente que había ejercido sobre mí parecían como olvidarlos, tanto por su parte como por la mía.

Sin embargo, al tratar ahora de evocar su figura, veo que su presencia aparece ligada a muchos momentos de aquella, época y que yo me daba cuenta de ello. Lo veo ir al colegio, sólo o entre algunos alumnos mayores; y lo veo extraño, solitario y silencioso como un astro rodeado de atmósfera propia y obediente a leyes particulares. Nadie lo quería. Nadie tenía trato íntimo con él, excepto su madre, pero también sus relaciones con ella parecían más bien las de dos personas igualmente maduras que las de madre e hijo. Los profesores procuraban dejarle tranquilo. Era un buen alumno, pero no intentaba gustar a nadie, y de cuando en cuando llegaba a nosotros el rumor de alguna frase suya, alguna glosa o alguna réplica opuesta por él a los profesores y que no dejaban nada que desear en punto a provocación e ironía.

Cierro los ojos y me parece ver su imagen. ¿Dónde fue? Sí, ahora vuelvo a recordar. Fue en la calle, frente a nuestra casa. Dibujaba en un cuadernillo el viejo escudo tallado sobre la puerta. El escudo del pájaro. Yo me encontraba en la ventana, escondido detrás de la cortina y le observaba, y veía con profundo asombro su rostro atento, claro y frío, el rostro de un hombre, de un investigador o de un artista reflexivo y penetrado de voluntad, singularmente claro y frío, con ojos llenos de experiencia.

De nuevo lo veo. Fue un poco más tarde, en la calle; estábamos a la salida del colegio, agrupados en torno a un caballo caído. Enganchado aún a las varas de un carro, yacía en el suelo, respirando anhelante y dolorido, con los ollares dilatados y sangrando por una herida invisible, mientras el polvo blanco de la carretera se iba tiñendo lentamente de oscuro. Cuando volví la vista, apartándola de aquel angustioso espectáculo, mis ojos hallaron el rostro de Demian. No se había acercado, se mantenía en segundo término, con aquel aire de siempre, tranquilo y elegante. Su mirada parecía fija en la cabeza del caballo, y mostraba de nuevo aquella atención profunda, serena, casi fanática y, sin embargo, exenta de pasión. No pude apartar los ojos de él y sentí entonces, lejos, en el subconsciente, algo muy especial.

Vi el rostro de Demian y vi ya que no solamente era el de un muchacho, sino el de un hombre; vi aún algo más; creí ver o sentir que tampoco era sólo el rostro de un hombre, sino también algo distinto. Era como si en él hubiera también algo de un rostro de mujer, y además, por un momento, aquel rostro no me pareció ya viril o infantil, maduro o joven, sino, en cierto modo, milenario; en cierto modo, ajeno al tiempo, sellado por edades distintas a la que nosotros vivimos. Los animales suelen tener esa expresión, o los árboles, o las estrellas. Yo no lo sabía; aunque entonces no sentía exactamente lo que ahora puedo formular como adulto, si sentía algo parecido. Quizá era guapo, no sé si me gustaba o me repelía; tampoco aquello estaba claro.

Nada más me dice mi recuerdo, y hasta es posible que alguna parte de lo dicho provenga de impresiones posteriores.

Pasaron varios años antes de que mi relación con él volviera a ser más estrecha. Demian no había recibido la confirmación que todos los demás alumnos de su grupo, según era costumbre en el colegio, y este hecho había despertado de nuevo los más diversos rumores sobre él. Se empezó a decir que era judío, o más bien que era pagano; otros opinaban que tanto él como su madre carecían de toda religión o que pertenecían a una fabulosa y peligrosa secta.

En relación con esto, creo haber oído también expresar la sospecha de que Demian vivía con su madre como con una amante. Lo más probable es que viniera educándose fuera de toda confesión, hasta un momento en que se temió algún perjuicio para su porvenir. En todo caso, su madre decidió que fuera confirmado, dos años más tarde que sus compañeros; y así sucedió que durante unos meses fue mi compañero en la clase preparatoria para la confirmación.

Durante algún tiempo me mantuve aún alejado de él. Se encontraba demasiado rodeado de rumores y misterios; pero lo que realmente estorbaba mi acercamiento era la conciencia de estarle obligado, conciencia que perduraba en mí desde mi aventura con Kromer. Y precisamente entonces estaba yo muy ocupado con mis propios secretos. La clase preparatoria para la confirmación coincidió con la aclaración definitiva de los problemas sexuales; y, a pesar de mi buena voluntad, mi interés por la enseñanza religiosa se veía muy mermada por este hecho. Las cosas de las que nos hablaba el profesor de Religión quedaban lejos de mí, en una serena irrealidad sagrada, muy bellas quizá y muy valiosas, no eran ni actuales ni incitantes, y aquellas otras cosas que me preocupaban lo eran precisamente en el más alto grado.

Esta situación hizo que creciera por un lado mi indiferencia hacia las clases y aumentara por otro mi interés por Max Demian. Parecía que algo debía irnos enlazando. Trataré de seguir paso a paso este proceso con la mayor exactitud posible. Que yo recuerde, la cosa empezó en una clase, muy temprano, por la mañana, cuando la luz del aula aún estaba encendida. Nuestro profesor de Religión había llegado a hablar de la historia de Caín y Abel sin que yo me diese apenas cuenta.

Yo no entendía, estaba adormilado y apenas escuchaba. De pronto, elevó el párroco la voz y comenzó a glosar fogosamente el tema de la marca de Caín. En este momento sentí una especie de contacto o llamada; y, levantando los ojos, vi a Demian que se volvía hacia mí desde las primeras filas de pupitres con una mirada penetrante y significativa, cuya expresión, lo mismo podía ser burlona que grave. Aquella mirada duró sólo un momento y en el acto me puse a escuchar ávidamente las palabras del párroco. Le oí hablar de Caín y del estigma sobre su frente, y tuve en lo más profundo la conciencia de que las cosas no eran como él las decía, que también se podían interpretar de otra manera y que era posible una crítica.

En este momento quedó establecido un nuevo enlace entre Demian y yo.

Y lo más singular fue que, apenas surgió en el alma este sentimiento de una cierta unión, lo vi cumplido, como por arte de magia, en el espacio. No sé si lo consiguió él o si fue pura casualidad; yo entonces creía firmemente en las casualidades. Demian cambió de sitio en la clase de religión, viniendo a sentarse delante de mí (todavía recuerdo cuánto me agradaba aspirar, en medio de la miserable atmósfera del hospicio de la clase repleta, el fresco olor a jabón que exhalaba su nuca). Y unos días después volvió a cambiar de lugar y se sentó junto a mí, y allí permaneció durante todo el invierno y la primavera.

Las clases matinales cambiaron por completo. No eran ya monótonas y aburridas. Las esperaba con impaciencia. A veces escuchábamos los dos al pastor con la mayor atención; y una mirada de mi vecino bastaba para que me fijara en una historia curiosa, en una frase extraña, y otra mirada, muy especial, bastaba para alertarme y despertar en mi la crítica y la duda.

Pero otras muchas veces nos comportábamos como malos alumnos y no escuchábamos nada de la lección. Demian se mostraba siempre juicioso ante los profesores y ante sus condiscípulos. Nunca hacía tonterías de colegial, nunca se le oía reír ruidosamente o charlar, nunca provocaba las reprimendas del profesor. Pero muy bajito, y más que con palabras con signos y con miradas, sabía hacerme partícipe de las ideas que lo ocupaban. Éstas eran a veces harto singulares.

Me dijo, por ejemplo, qué compañeros le interesaban más y de qué manera les estudiaba. A algunos les conocía muy bien. Un día me dijo antes de la clase:

—Cuando yo te haga una señal con el dedo pulgar, Fulano o Mengano se volverá hacia nosotros o se rascará el cogote, etcétera.

Durante la clase, cuando apenas me acordaba ya de aquello, Max me hizo una señal muy ostensible con el dedo; miré rápidamente hacia el alumno señalado y le vi en efecto hacer el gesto esperado, como movido por un resorte. Yo importuné a Max para que intentase también aquel experimento con el profesor, pero no quiso. Sin embargo, una vez llegué a clase y le conté que no había estudiado la lección y que confiaba que el pastor no me la preguntara. En el aula, el párroco buscó con la vista un alumno a quien hacer recitar un trozo del catecismo, y su mirada errante se detuvo en mi rostro culpable. Se acercó lentamente y alargó un dedo hacia mí; ya tenía mi nombre en los labios cuando de pronto se puso inquieto y distraído, empezó a dar tirones de su alzacuello, se acercó a Demian, que le miraba fijamente a los ojos; pareció que quería preguntarle algo, y finalmente se apartó bruscamente, tosió un rato y llamó a otro alumno.

Poco a poco, entre aquellas bromas que tanto me divertían, fui advirtiendo que mi amigo se traía frecuentemente conmigo el mismo juego. A veces, yendo al colegio, presentía de pronto que Demian me seguía y, al volverme, le encontraba efectivamente allí.

—¿Puedes, de verdad, hacer que otro piense lo que tú quieras? —le pregunté.

—No —dijo—; eso no es posible. No tenemos una voluntad libre, aunque el párroco haga como si así fuera. Nadie puede pensar lo que quiere ni hacer pensar a otro lo que a él se le antoje. Lo único que puede hacerse es observar atentamente a una persona; generalmente se puede decir luego con exactitud lo que piensa o siente y, por consiguiente, también se puede predecir lo que va a hacer inmediatamente. Es muy sencillo, pero la gente no lo sabe. Claro está que es preciso ejercitarse un poco. Entre las mariposas hay, por ejemplo, cierta especie nocturna en la que las hembras son menos numerosas que los machos. Las mariposas se reproducen del mismo modo que todos los demás insectos, el macho fecunda a la hembra, que luego pone huevos. Si capturas una hembra de esta especie — y esto ha sido confirmado por los científicos— los machos acuden por la noche, haciendo un recorrido de varias horas de vuelo. ¡Fíjate bien! Desde varios kilómetros de distancia sienten los machos la presencia de la única hembra existente en el contorno. Se ha intentado explicar el fenómeno, pero es imposible. Debe de tratarse de un sentido del olfato o algo parecido, como en los buenos perros, de caza, que saben hallar y seguir un rastro imperceptible. ¿Comprendes? La naturaleza está llena de cosas de estas, que nadie consigue explicar. Pero yo me digo que si entre estas mariposas fueran las hembras tan frecuentes como los machos, no tendrían éstos seguramente un olfato tan fino. Si lo tienen es porque se han visto precisados a ejercitarlo y a intensificar toda su atención y toda su voluntad hacia una cosa determinada, acaba por conseguirla.

Ése es todo el misterio. Y lo mismo ocurre con lo que tú dices. Observa bien a un hombre y sabrás de él más que él mismo.

Estuve a punto de pronunciar las palabras "adivinación de pensamiento" y recordarle con ellas la historia de Kromer, que quedaba tan lejana. Pero con respecto a ese asunto sucedía algo muy raro entre nosotros: ni él ni yo hacíamos nunca la más mínima alusión a que hacía unos años él había intervenido de una manera tan decisiva en mi vida. Era como si jamás hubiera habido antes algo entre nosotros o como si cada uno de nosotros estuviera firmemente convencido de que el otro lo había olvidado. Una vez o dos tropezamos con Franz Kromer yendo juntos, y ni siquiera entonces cambiamos una mirada ni hablamos palabra sobre él.

—¿Cómo explicas lo de la voluntad? —pregunté—. Dices que tenemos libre albedrío, pero también aseguras que uno no tiene más que concentrar su voluntad sobre un objetivo para conseguirlo. Ahí hay una contradicción. Si no soy dueño y señor de mi voluntad, tampoco puedo concentrarla libremente sobre esto o aquello.

Me dio una palmada en el hombro, como siempre que algo mío le agradaba.

—¡Así me gusta! —exclamó riendo—. Hay que preguntar siempre, hay que dudar siempre. Pero la cosa es muy sencilla. Si una de esas mariposas, por ejemplo, quisiera concentrar su voluntad sobre una estrella, o algo por el estilo, no podría hacerlo. Así ni lo intenta siquiera. Busca sólo aquello que tiene para ella un sentido y un valor, algo que le es necesario y de lo que no puede prescindir. Por eso logra lo increíble; desarrolla un fantástico sexto sentido, que ningún animal, excepto ella, posee. Nosotros, los hombres, tenemos un campo de acción mucho más vasto e intereses más amplios que los animales. Pero también nos hallamos inscritos en un círculo relativamente pequeño y no podemos traspasarlo. Yo puedo fantasear sobre esto o aquello, imaginarme algo —por ejemplo, que me es indispensable ir al Polo Norte, o algo por el estilo—, pero sólo puedo llevarlo a cabo y desearlo con suficiente fuerza si el deseo está completamente enraizado en mí, si todo mi ser está penetrado de él. En cuanto así sucede, en cuanto intentas algo que te es ordenado desde el propio interior, acabas por conseguirlo, y puedes uncir tu voluntad como un buen animal de tiro. Si yo, por ejemplo, me propusiera conseguir que nuestro pastor no volviera a llevar gafas, no lo lograría. Sería puro juego. Pero cuando este otoño pasado surgió en mí la firme voluntad de mudar de sitio en la clase, todo sucedió de maravilla. De pronto se presentó un chico, que hasta entonces había estado enfermo y cuyo apellido comenzaba por una letra anterior a la inicial del mío, y como alguien tenía que hacerle sitio en los primeros bancos, fui yo, desde luego, quien le cedió el mío, precisamente porque mi voluntad se encontraba ya preparada a aprovechar la primera ocasión.

—Sí —dije—, a mí también me produjo una sensación muy extraña aquello. Desde el momento en que empezamos a interesarnos el uno por el otro te fuiste acercando a mí cada vez más. Pero, ¿cómo sucedió? Al principio no conseguiste sentarte a mi lado; durante algún tiempo ocupaste el banco delante del mío. ¿Cómo sucedió aquello?

Las cosas pasaron así. Cuando comencé a sentir el deseo de mudar de sitio no sabía aún fijamente adonde quería ir a parar. Sabía tan sólo que quería sentarme más atrás. Mi voluntad era reunirme contigo, pero no se había hecho consciente aún. Al mismo tiempo, tu voluntad tiró de mí, ayudando a la mía. Sólo cuando llegué a sentarme delante de ti noté que mi deseo se había cumplido ya a medias, y me di cuenta de que todos mis manejos habían obedecido al propósito de ir a sentarme a tu lado.

—Pero entonces no entró ningún alumno nuevo en nuestra clase.

—No, pero yo hice simplemente lo que me parecía y me senté por las buenas a tu lado. El chico con el que cambié de sitio sólo se extrañó y me dejó hacer. El cura notó una vez que allí se había producido un cambio; en general cada vez que tiene que dirigirse a mí, algo le inquieta oscuramente; sabe muy bien que me llamo Demian y que yo, con un apellido empezando con la letra D, no debe estar detrás, entre la S. Pero esta representación no acaba de penetrar hasta su conciencia, porque mi voluntad se opone a ello y se lo impide siempre. El buen señor advierte algo raro cada vez que me ve a tu lado, y comienza a cavilar. Entonces empleo un modo muy sencillo. Le miro fijamente a los ojos. Hay muy poca gente que lo aguante bien. Todos se ponen muy inquietos. Cuando quieras conseguir algo de alguien, le miras inesperadamente a los ojos con firmeza; si ves que no se intranquiliza, puedes renunciar a tu deseo, no vas a conseguir nada de él. Yo no conozco más que a una persona con la que me falle el sistema.

—¿Quién es? —pregunté rápidamente.

Demian me miró entornando un poco los ojos, como siempre que reflexionaba intensamente, y volvió luego la vista a otro lado, sin responderme. A pesar de mi viva curiosidad, no me atreví a repetir la pregunta.

Sin embargo, creo que debía referirse a su madre. Parecía vivir con ella en una intima unión espiritual; pero nunca me habló de ella ni me llevó a su casa. De este modo, apenas sabía yo cómo era su madre.

En aquella época intenté algunas veces imitarle y concentrar mi voluntad sobre un deseo con toda intensidad para conseguirlo. Eran deseos que me parecían bastante apremiantes. Pero no lograba nada. No pude resolverme a revelar a Demian estas tentativas. No me hubiera sido posible confesarle mis deseos. Tampoco él me preguntó nada.

Mis creencias religiosas habían comenzado entre tanto a flaquear. Pero mi actitud mental, muy influida por Demian, se apartaba mucho de la de aquellos condiscípulos míos que afectaban una completa incredulidad. Eran unos cuantos y se dejaban decir que era ridículo e indigno de los hombres creer todavía en un Dios, que las historias tales como las de la Trinidad y la de la Inmaculada Concepción movían sencillamente a risa y que era una vergüenza aceptar aún semejantes antiguallas. Yo no pensaba así en lo absoluto. Aun en los casos de duda, conocía a través de las experiencias de mi niñez, la realidad de una vida piadosa como la que llevaban mis padres, y sabía que no era indigna ni falsa. Es más, seguía sintiendo el mayor respeto por lo religioso. Pero Demian me había acostumbrado a considerar e interpretar los relatos y dogmas religiosos con más libertad y personalidad. Por lo menos, yo seguía siempre con agrado sus interpretaciones, aunque algunas me parecieran demasiado fuertes, como la de la historia de Caín. Durante las clases preparatorias de la confirmación volvió a asustarme con una glosa aún más osada, si cabe. El profesor había hablado del Gólgota. El relato bíblico de la Pasión y Muerte del Salvador me había impresionado mucho desde niño; cuando mi padre nos leía en Viernes Santo la historia de la Pasión, yo vivía profundamente emocionado en ese mundo dolorosamente hermoso de Getsemaní y del Gólgota, pálido fantasmas pero tremendamente vivo, y cuando oía la pasión según San Mateo, de Bach, me estremecía con místico escalofrío el doliente esplendor sombrío y poderoso de aquel mundo enigmático. Todavía hoy veo en esta música y en el *actus tragicus* la quintaesencia de toda poesía y de toda expresión artística.

Al terminar aquella clase me dijo Demian con expresión reflexiva:

Hay algo, Sinclair, que no me gusta. Lee otra vez el relato de la Pasión, gústalo bien y verás cómo encuentras algo que resulta insulso. Me refiero a los ladrones. ¡Es grandioso el cuadro de las tres cruces erguidas allá sobre la colina ¿Para qué nos vienen con la historia sentimental del buen ladrón? Ha sido toda su vida un criminal, ha cometido sabe Dios cuántas infamias, y ahora se derrite y llora arrepentido y contrito. ¿Me puedes decir qué sentido tiene ese arrepentimiento a dos pasos de la tumba? No es más que una anécdota devota, dulzona y falsa, untuosamente aderezada y con un fondo muy edificante. Si hoy tuvieras que escoger de entre los dos ladrones a uno como amigo, o tuvieras que decidirte por uno para darle tu confianza, seguro que no elegirías a ese converso llorón. Escogerías, desde luego, al otro, que es un tipo de carácter. Desprecia una conversión que en aquel momento no puede tener ya valor alguno, anda su camino hasta el fin y no se desliga cobardemente, en el último instante, del diablo, que ha venido ayudándole hasta entonces. Quizá fuera también un descendiente de Caín. ¿No crees?

Me quedé consternado. Había creído estar totalmente familiarizado con la historia de la Pasión, y ahora descubría con qué poca personalidad, imaginación y fantasía la había escuchado y leído. Sin embargo, el nuevo pensamiento de Demian me sonaba muy mal y amenazaba conceptos cuya existencia me creía obligado a salvar. No, no se podía jugar así con todo, incluso con las cosas más santas.

Él, como siempre, notó inmediatamente mi resistencia, antes de que yo dijera algo.

—Sé lo que vas a decirme —continuó resignado—. ¡Siempre tropieza uno con lo mismo! Pero te voy a decir una cosa; éste es uno de los puntos en los que aparecen con toda claridad los fallos de nuestra religión. El Dios del Antiguo y Nuevo Testamento es, en efecto, una figura extraordinaria, pero no es lo que debe representar. Es lo bueno, lo noble, lo paternal, lo bello y también lo elevado y lo sentimental. ¡Está bien! Pero el mundo se compone también de otras cosas, y éstas se adjudican simplemente al diablo, escamoteando y silenciando toda una mitad del mundo. Se glorifica a Dios como Padre de toda vida y se oculta la vida sexual, fuente y substracto de la vida misma, declarándola pecado y obra del demonio. No tengo nada en contra de que se venere al Dios Jehová. ¡En absoluto! Pero opina que deberíamos santificar y venerar al mundo en su totalidad, no sólo a esa mitad oficial, separada artificialmente. Por tanto, al lado del culto a Dios, deberías celebrar un culto al demonio. Eso sería lo acertado. O si no, habría que crear un Dios que integrara en sí al diablo y ante el que no tuviéramos que cerrar los ojos cuando suceden las cosas más naturales de la vida.

Demian —en contra de su costumbre— había llegado a exaltarse. Sin embargo, no tardó en recobrar su sonrisa y dejó de sondearme.

Pero sus palabras habían herido en mí el enigma que, durante mis años de muchacho, había acompañado todas mis horas y del cual nunca había dicho a nadie una palabra. Lo que dijo Demian sobre Dios y el demonio, sobre el mundo oficial y divino frente al mundo demoníaco silenciado, corresponda a mi propio pensamiento, a mi mito, a mi idea de los dos mundos o dos mitades, la clara y la oscura. El descubrimiento de que mi problema era un problema de todos los hombres, un problema de toda vida y de todo pensamiento, se cernió de pronto sobre mí como una sombra divina, y me sentí penetrado de temeroso respeto al advertir cuán profundamente participaban mi propia vida y mi pensamiento personal en la corriente eterna de las grandes ideas. El descubrimiento no fue alegre, aunque sí alentador y reconfortante. Era duro y áspero, porque encerraba, en sí, responsabilidad, soledad y despedida definitiva de la infancia.

Revelando por primera vez en la vida mi profundo secreto; expuse a mi camarada mi concepción de los "dos mundos" y Demian vio enseguida cómo se delataba en ella la plena conformidad de mi más íntimo sentir con sus propias ideas. Pero no era su estilo aprovecharse de ello. Me escuchó con más atención que nunca, mirándome fijamente a los ojos, hasta que tuve que apartar los míos porque volví a sorprender en su mirada aquella extraña intemporalidad casi animal, aquella inconcebible antigüedad.

—Ya volveremos a hablar en otra ocasión sobre esto —dijo, no queriendo estrecharme más—. Veo que piensas más de lo que puedes expresar. Pero también que nunca has vivido por entero lo pensado, y eso no es bueno. Sólo el pensamiento vivido tiene valor. Hasta ahora has sabido que tu "mundo bueno" sólo era la mitad del mundo y has intentado escamotear la otra mitad, como hacen los curas y los profesores. ¡Pero no lo conseguirás No lo consigue nadie que haya empezado a pensar!

Estas palabras me penetraron hondamente.

—Sin embargo —grité casi—, no puedes negar que hay cosas real y efectivamente ilícitas y repulsivas, y que estas cosas están bien prohibidas y debemos renunciar a ellas. Yo sé que existen el crimen y los vicios, pero porque existan no voy yo a convertirme en un criminal.

—No es posible examinar en una sola conversación todos los aspectos del tema —concedió Max—. Desde luego, nadie te dice que hayas de matar o violar y asesinar muchachas. Pero aún no has llegado al punto en que se ve con claridad lo que significa en el fondo "permitido" y "prohibido". Has descubierto sólo una parte de la verdad ¡Ya tendrás el resto, no tengas cuidado! Ahora, por ejemplo, llevas en ti, desde hace casi un año, un instinto más fuerte que todos los demás y que cuenta entre lo "prohibido".

Los griegos y muchos otros pueblos, en cambio, han divinizado este instinto y lo han venerado en grandes fiestas. Lo "prohibido" no es algo eterno, puede variar. También hoy cualquiera puede acostarse con una mujer si antes ha ido al sacerdote y se ha casado con ella. En otros pueblos es de otra manera. Por tanto, cada uno de nosotros ha de encontrar por sí mismo lo "permitido" y lo "prohibido", con respecto a su propia persona. Se puede no hacer nunca nada prohibido, y ser, sin embargo, un perfecto bribón. Y al contrario. Probablemente es una cuestión de comodidad. El que es demasiado cómodo para pensar por su cuenta y erigirse en su propio juez, se somete a las prohibiciones, tal como las encuentra. Eso es muy fácil. Pero otros sienten en sí su propia ley; a esos les están prohibidas cosas que los hombres de honor hacen diariamente y les están permitidas otras que normalmente están mal vistas. Cada cual tiene que responder de sí mismo.

De pronto pareció arrepentirse de haber hablado tanto e interrumpir su alegato. Por mi parte, comprendí ya entonces el sentimiento que le movía a enmudecer. Aunque Demian acostumbraba exponer sus ideas en el tono de una charla agradable y aparentemente superficial, no gustaba de "hablar por hablar", según él mismo dijo un día. Notaba en mí que, junto al auténtico interés había demasiado juego, demasiado placer en el parloteo intelectual; en una palabra, falta de absoluta seriedad.

Al volver a leer las últimas palabras que he escrito: "absoluta seriedad", recuerdo otra escena que viví con Max Demian en aquellos tiempos aún semiinfantiles, y que me impresionó vivamente.

Se aproximaba ya la fecha de nuestra confirmación y las últimas lecciones de nuestra preparación religiosa trataban de la Sagrada Cena. Penetrado de la importancia del tema, puso el párroco máximo cuidado en sus explicaciones y logró realmente crear en las últimas clases un cierto ambiente de recogida unción. Sin embargo, precisamente entonces mis pensamientos se concentraban en otra cosa: en la persona de mi amigo. Esperando la confirmación, que se nos explicaba como solemne acogida en la comunidad de la iglesia, yo pensaba constantemente que el valor de aquel medio año de enseñanza religiosa no estaba en lo que había aprendido, sino en la proximidad e influencia de Demian. Donde me encontraba ya dispuesto a ser recibido no era en la Iglesia, sino en algo muy distinto, en una orden del pensamiento y de la personalidad, que debía existir en algún modo sobre la Tierra, y cuyo representante o emisario, era para mí, mi amigo.

Intenté rechazar aquella idea porque quería vivir, a pesar de todo, la ceremonia de la confirmación con cierta dignidad, que me parecía poco compatible con mis nuevos pensamientos. Pero fue en vano: el pensamiento estaba ahí y lentamente se fue uniendo al de la cercana ceremonia religiosa. Estaba dispuesto a celebrarla de manera distinta a los demás. Para mí iba a significar la entrada en un mundo ideológico que me había sido revelado por Demian.

Por aquellos días volví a discutir acaloradamente con él otra vez y precisamente antes de la clase de religión. Mi amigo se mantuvo distante y se vio que no le agradaban mis palabras, un tanto presuntuosas y pedantes, desde luego.

—Hablamos demasiado —dijo con desacostumbrada seriedad—. Las palabras ingeniosas carecen totalmente de valor. Sólo le alejan a uno de sí mismo. Y alejarse de uno mismo es pecado. Hay que saber recogerse en sí mismo por completo, como las tortugas.

Instantes después entramos en el aula. Comenzó la clase y yo me esforcé en prestar atención sin que Demian intentase distraerme. Pero al cabo de un rato empezó a llegar a mí, desde el lugar que Demian ocupaba a mi lado, una extraña sensación indefinible de frialdad o de vacío, como si aquel puesto al lado mío hubiese quedado de pronto abandonado. Esta sensación acabó por hacerse tan angustiosa que tuve que volver la vista.

Vi a mi amigo sentado muy derecho y correcto, como siempre. Sin embargo, tenía un aspecto totalmente diferente al acostumbrado, algo que yo desconocía irradiaba de él y le rodeaba. Creí que tenía cerrados los ojos, pero luego vi que los mantenía abiertos; estaban fijos, no miraban, no veían. Estaban dirigidos hacia dentro, hacia una remota lejanía. Sentado allí totalmente inmóvil, parecía no respirar siquiera, y su boca era como tallada en madera o en piedra. Su rostro estaba pálido, uniformemente pálido, como de piedra, y sus oscuros cabellos eran lo único que aún parecía conservar en él alguna vida. Sus manos reposaban ante él sobre el pupitre, inanimadas y quietas como objetos, como piedras o frutas, pálidas e inmóviles, pero no distensas y fláccidas, sino como un firme y seguro abrigo en torno de una intensa vida oculta.

Aquel espectáculo me hizo temblar. "¡Está muerto!", pensé, y estuve a punto de gritar. Pero sabía que no lo estaba. Fascinado, no podía apartar los ojos de su rostro, de aquella pálida y pétrea máscara, sintiendo que aquel era el verdadero Demian. Lo que solía aparentar cuando iba y hablaba conmigo no era más que una parte de Demian, aquel que durante un rato representaba un papel, plegándose y amoldándose para dar gusto. Pero el verdadero Demian tenía este aspecto pétreo, ancestral, animal, bello y frío, muerto y al mismo tiempo rebosante de una vida fabulosa. ¡Y en torno suyo el vacío silencioso, el éter, los espacio siderales, la muerte solitaria!

Sentí, estremecido, que Demian se había retirado por completo en sí mismo. Nunca me había hallado tan solo. No participaba de él, me era inasequible y estaba más lejos de mí que si se encontrara en la isla más lejana del mundo.

No podría comprender cómo nadie, excepto yo, se daba cuenta. ¡Todos tenían que verle, todos tenían que estremecerse! Pero nadie se fijó en Demian. Seguía erguido como una estatua, rígido como un ídolo —según me pareció entonces—, mientras una mosca se posaba sobre su nariz y sus labios, sin que él reaccionara con el más leve gesto.

¿Dónde estaba? ¿Qué pensaba? ¿Qué sentía? ¿Estaba en el cielo o en el infierno?

No me fue posible hacerle ninguna pregunta. Cuando al final de la clase le volví a ver vivir y respirar, nuestras miradas se cruzaron y constaté que era el de antes. ¿De dónde venía? Parecía fatigado. El color había vuelto a su cara y sus manos se movían de nuevo; su pelo castaño, sin embargo, parecía ahora sin brillo y como cansado.

En los días que siguieron intenté varias veces en mi dormitorio un nuevo ejercicio: me sentaba muy derecho en una silla, inmovilizaba los ojos, me quedaba completamente quieto y esperaba a ver cuánto tiempo podía aguantar y qué sensaciones tenía. Pero sólo conseguí cansarme y que los párpados me causaran una fuerte comezón.

Poco después fue la confirmación, de la cual no conservo recuerdo ninguno importante.

Todo cambió ya. La niñez se derrumbó en torno a mí. Mis padres me miraban con cierto embarazo. Mis hermanas llegaron a serme extrañas. Una vaga desilusión fue debilitando y esfumando mis sentimientos y mis alegrías habituales; el jardín no tenía perfume, el bosque no me atraía, el mundo se extendía alrededor de mí como un saldo de trastos viejos, insípido y desencantado, los libros eran papel, la música ruido. Así van cayendo las hojas de un árbol otoñal, sin que él lo sienta; la lluvia, el sol o el frío resbalaban por su tronco, mientras la vida se retira lentamente a lo más íntimo y lo más recóndito. El árbol no muere, espera.

Se había decidido que después de las vacaciones iría a otro colegio, por vez primera, lejos de casa. A veces mi madre se acercaba a mí con especial ternura, despidiéndose ya por adelantado y esforzándose en llenar mi corazón de amor, nostalgia y recuerdo. Demian estaba de viaje. Yo estaba solo.

4 BEATRICE

Al terminar las vacaciones, salí para St. sin haber vuelto a ver a mi amigo. Mis padres me acompañaron, dejándome, con toda clase de cuidados, en una pensión internado para colegiales regida por un profesor del Instituto. Se hubieran quedado helados de espanto si hubieran sabido a qué cosas me exponían.

Mi problema era aún el de si pudiese llegar a ser, con el tiempo, un buen hijo y un ciudadano útil, o si, por el contrario, mi naturaleza me empujaba por otros caminos. Mi última tentativa de ser feliz a la sombra del hogar y del espíritu paterno había durado mucho tiempo, y en ocasiones pareció que iba a tener éxito; pero al final había fracasado lamentablemente.

El extraño vacío y la soledad que por primera vez sentí durante las vacaciones después de la Confirmación —luego se me haría muy familiar este vacío, este aire enrarecido—, no desaparecieron tan deprisa. El adiós al hogar me fue extrañamente fácil, tan fácil que yo mismo me avergoncé de mi indiferencia. Mis hermanas lloraban sin tasa. Yo no podía. Estaba asombrado de mí mismo. Siempre había sido así en el fondo, un niño sentimental y bueno. Ahora estaba completamente transformado. El mundo exterior me era completamente indiferente, y durante días no hacía más que escucharme a mí mismo y los torrentes misteriosos y oscuros que fluían dentro de mí. Había crecido mucho en el último medio año y me asomaba al mundo como un muchacho larguirucho, delgado e inmaduro. Todo el amable atractivo del adolescente se había retirado de mí. Sentía que nadie podía amarme y así me desagradaba profundamente a mí mismo. A veces me invadía una intensa nostalgia de Max Demian, pero otras muchas lo odiaba y lo culpaba del empobrecimiento de mi vida, que pesaba sobre mí como una repulsiva enfermedad.

En el internado, al principio, no me querían ni estimaban. Primero me tomaron el pelo, después se apartaron de mí, considerándome un cobarde y un solitario antipático. Me volqué en mi papel exagerándolo, y me encastillé en una soledad rencorosa que hacia fuera tenía todas las apariencias de un desprecio muy viril del mundo, mientras en el fondo sucumbía a devoradores ataques de melancolía y desesperación. Mi actividad escolar se redujo, durante los primeros tiempos, a resumir los conocimientos ya acumulados, pues la nueva clase aparecía algo atrasada con respecto a la de mi colegio anterior, y de este modo me acostumbré a mirar despreciativamente a mis condiscípulos, considerándolos aún niños.

Las cosas siguieron así un año y más; tampoco las primeras vacaciones en casa trajeron nada nuevo; volví a marcharme contento al colegio.

Era a principios de noviembre. Desde tiempo atrás había adquirido la costumbre de dar todos los días largos paseos, hiciese el tiempo que hiciese, y en estos paseos pensativos gozaba a veces una felicidad singular, una felicidad llena de melancolía, de desprecio al mundo y a mí mismo. El ancho paseo del parque, completamente desierto, invitaba a pasear por él; el camino estaba cubierto de hojas caídas, en las que yo hundía los pies con oscura voluptuosidad. Olía a humedad amarga, y los árboles lejanos surgían de la niebla, fantasmagóricos, grandes y sombríos. Al final de la avenida me detuve indeciso, fija la vista en la negra hojarasca, y aspiré con ansia aquel mojado aroma declinante, vida mustia y marchita, sintiendo dentro de mí algo que saludaba y respondía. La vida no sabía a nada.

De uno de los caminos laterales salió alguien con capa flotante; yo quería seguir caminando, pero el recién llegado me llamó.

—¡Eh, Sinclair!

Se acercó. Era Alfonso Beck, el mayor del internado. A mí me resultaba simpático y no tenía nada contra él, excepto que siempre me trataba como a todos los demás pequeños, de una manera irónica y paternal. Pasaba por ser tan fuerte como un oso; se contaba que tenía completamente dominado al director de nuestra pensión y era el héroe de muchos rumores escolares.

—¿Qué haces tú por aquí? —me gritó jovialmente, en el tono que adoptaban los mayores cuando se dignaban hablar con nosotros—. ¡Apuesto que estás haciendo versos!

—¡Ni pensarlo! —rechacé bruscamente.

Se echó a reír y continuó andando a mi lado y charlando. Yo había perdido la costumbre de conversar.

—No creas que no lo comprendo, Sinclair. Tiene un no sé qué caminar así en la niebla del atardecer, con pensamientos otoñales. Comprende que se caiga en la tentación de hacer versos. Sobre la naturaleza que mueve y sobre la juventud perdida que se le parece. Como Heinrich Heine.

—No soy tan sentimental —repliqué, aún a la defensiva.

—Bueno, es igual. Lo que el hombre debe hacer con este tiempo, es buscar un sitio abrigado donde le den un buen vaso de vino o algo semejante. ¿Vienes conmigo? No espero a nadie, quizá no te agrada la idea. No quisiera pervertirte, querido, si es que eres un muchacho modelo.

Poco después nos encontrábamos en una taberna de las afueras de la ciudad, bebiendo un vino dudoso y entrechocando los vasos de vidrio grueso. Al principio aquello no me gustaba demasiado, pero al menos era algo nuevo. Al poco rato, bajo el efecto del vino, me volví más locuaz. Era como si se hubiese abierto en mí una ventana por la que penetrase resplandeciente el mundo. ¡Hacía tanto tiempo que no se desahogaba mi alma! Comencé a fantasear y, de pronto, saqué a relucir la historia de Caín y Abel.

Beck me escuchaba complacido. ¡Por fin alguien a quien yo daba algo! Me golpeaba en el hombro y me llamaba "chico del demonio" y a mí se me hinchaba el corazón del placer al dejar correr generosamente todos los deseos acumulados de hablar y comunicarme, de ser reconocido por alguien y de valer algo a los ojos de uno mayor que yo. Cuando más tarde, me dijo que era un chico genial, estas palabras inundaron mi alma como un vino fuerte y dulce. El mundo ardía en nuevos colores, las ideas llegaban a mí de mil atrevidas fuentes nuevas, el ingenio y el fuego llameaban en mí.

Hablamos de los profesores y de los compañeros y a mí me dio la impresión de que nos entendíamos estupendamente. Hablamos sobre los griegos y los paganos. Beck quería a toda costa que le hiciera confidencias sobre aventuras amorosas. Pero en ese terreno yo no podía seguir la conversación; no había vivido nada y nada podía contar. Y lo que en mi vida interior había sentido, construido y fantaseado, yacía ardiendo en mí, pero el vino no era lo bastante poderoso para arrastrarlo a la superficie y hacerlo comunicable.

Beck sabía mucho más de las chicas que yo, y escuché con la cara encendida sus cuentos. Me enteré de cosas increíbles; cosas que nunca hubiera creído posibles se hacían reales y parecían normales. Alfonso Beck, con sus dieciocho años, tenía ya alguna experiencia. Sabía, entre otras cosas, que las muchachas no querían más que presumir y ser cortejadas, y que todo aquello resultaba muy agradable, pero no era lo verdadero. Se conseguía más de las mujeres casadas. Eran mucho más inteligentes. Por ejemplo, la señora Jaggelt, la de la tienda de cuadernos y lapiceros; con ésa se podía uno entender; y las cosas que habían sucedido detrás del mostrador, no eran para ser contadas.

Yo estaba fascinado y aturdido. Desde luego, no hubiera podido enamorarme de la señora Jaggelt precisamente; pero, en fin de cuentas, la historia era increíble. Parecía que había posibilidades, —por lo menos para los mayores— que yo nunca hubiera imaginado. Sin embargo, también había algo falso en todo aquello; me sabía a menos y a más vulgar de lo que, según mi opinión, debía ser el amor, pero era la realidad, era la vida y la aventura. A mi lado tenía a uno que lo había vivido y a quien parecía natural.

Nuestra conversación había descendido un poco, había perdido algo. Yo no era ya el chiquillo genial, era tan sólo un chico que escuchaba a un hombre. Pero, aun así, comparada con lo que mi vida venía siendo desde muchos meses atrás, resultaba algo delicioso y paradisiaco.

Además, fui dándome cuenta lentamente de que todo lo que estaba haciendo, desde estar en la taberna hasta el tema de nuestra conversación, estaba prohibido terminantemente; saboreaba al menos el espíritu rebelde de la situación.

Conservo de aquella noche un recuerdo muy claro. Cuando muy tarde ya, emprendimos ambos el regreso, bajo la turbia luz de los faroles, en la noche mojada y fría, iba yo borracho por primera vez en mi vida. No era nada grato, sino muy desagradable; y, sin embargo, hasta esto tenía algo, un atractivo, una dulzura: era la rebelión y la orgía, la vida y el espíritu. Beck se portó muy bien conmigo y me condujo, medio en brazos, hasta la pensión, en la que entramos de contrabando por una ventana.

Al despertar de la borrachera, tras un breve y mortal sueño, me sobrevino una desesperada tristeza. Incorporado en la cama, conservaba puesta la camisa que había llevado durante el día, mis vestidos y mis botas, diseminados por el suelo, olían a tabaco y a vómito, y en medio del dolor de cabeza, de las náuseas y de la sed abrazadora, surgió ante mi alma una imagen en mucho tiempo evocada. Vi mi ciudad natal y la casa de mis padres, a mi padre y a mi madre, a mis hermanas, el jardín, mi dormitorio tranquilo y acogedor, el colegio y la Plaza Mayor; vi a Demian; las clases de religión. Y todo ello era luminoso, todo aparecía nimbado de un suave resplandor; todo era maravilloso, divino y puro, y todo, todo ello —ahora me daba cuenta—, había sido mío hasta ayer, hasta pocas horas antes, y se había hundido ahora, justamente ahora; había desaparecido: ya no me pertenecía, me excluía, me miraba con asco. Todo el amor y el cariño que me habían dado mis padres; remontándome hasta los más lejanos y dorados paraísos de la infancia, cada beso de mi madre, cada Navidad, cada mañana de domingo, clara y piadosa, cada flor del jardín, todas yacían rotas a mis pies, todas las había pisoteado. Si en aquel momento hubieran venido a prenderme unos esbirros y me hubiesen arrastrado a la horca por sacrílego, no habría opuesto nada; habría echado a andar gustoso hacia el patíbulo y habría considerado justa y conveniente la penitencia.

Así era yo en el fondo. ¡Yo, que despreciaba a todo el mundo! ¡Yo, que sentía el orgullo de la inteligencia y combatía los pensamientos de Demian! Así era yo: una escoria, una basura, borracho y sucio, repugnante y grosero; una bestia salvaje dominada por asquerosos instintos. ¡Yo, que venía de aquellos jardines en los que todo era pureza, resplandor y suave delicadeza, el que había disfrutado con la música de Bach y los bellos poemas! Aún me parecía escuchar con asco y con indignación mi propia risa, una risa borracha, descontrolada, que brotaba estúpidamente a borbotones. Así era yo.

A pesar de todo, era casi un placer sufrir estos tormentos. Llevaba yo tanto tiempo arrastrándome ciego e insensible por la vida, y mi corazón había callado ya tan largamente, empobreciéndose confinado en un ángulo oscuro, que hasta aquellos reproches y aquel horror que contraían mi alma, eran bienvenidos. Eran al menos, sentimientos, sentimientos ardientes en los que latía un corazón. Desconcertado, sentí en medio de la miseria algo así como una liberación y una nueva primavera.

Entre tanto, y para quien me viese desde fuera, seguía yo deslizándome vertiginosamente cuesta abajo. Aquella primera borrachera no fue la última. En nuestro colegio se iba mucho de juerga a las tabernas, y yo era uno de los más jóvenes entre los asiduos. Pronto dejé de ser considerado como un chiquillo al que se tolera y me convertí en un cabecilla, famoso y atrevido cliente de las tabernas. De nuevo pertenecía por entero al mundo sombrío, al demonio, y ocupaba en aquel mundo un lugar destacado.

A todo esto, yo me sentía muy mal. Vivía en una orgía autodestructiva constante; y mientras mis compañeros me consideraban un cabecilla y un jabato, un muchacho valiente y juerguista, mi alma atemorizada aleteaba llena de angustia en lo más profundo de mi ser.

Todavía recuerdo cómo me saltaron las lágrimas al salir del café un domingo por la mañana y ver unos niños que jugaban en la calle, radiantes, limpios, recién peinados y con sus galas domingueras. Y mientras yo me divertía y a menudo, en torno a una mesa sucia en tabernas de baja estofa, asustaba a mis amigos con mi inaudito cinismo, tenía en el fondo del corazón un gran respeto por todo aquello que ridiculizaba y en mi interior me arrodillaba ante mi alma, ante mi pasado, ante mi madre, ante Dios.

Esta falta de compenetración con mis acompañantes, esta soledad mía entre ellos, que me entregaba inerme a mi dolor, tenía su explicación. Entre todos mis camaradas, incluso entre los más endurecidos, pasaba por ser un perdido y cínico; mostraba ingenio y osadía en mis ideas y mis apreciaciones sobre los profesores, el colegio, la familia y la Iglesia. También aceptaba los chistes obscenos y hasta me animaba a hacer alguno.

Pero nunca acompañaba a mis compinches cuando iban en busca de las chicas. Me encontraba solo y lleno de un profundo deseo de amor, un deseo desesperado, en tanto que mis palabras eran las de un libertino redomado, en este punto no había nadie más delicado y pudoroso que yo. Cuando veía pasar a las muchachas, lindas y compuestas, alegres y graciosas, se me figuraban puros sueños maravillosos, demasiado buenos y demasiado puros para mí.

Durante una temporada tampoco pude entrar en la papelería de la señora Jaggelt porque nada más mirarla me ponía colorado, recordando lo que Alfonso Beck me había contado de ella.

Pero aunque me sabía distinto de mis nuevos camaradas y me sentía continuamente solo en su compañía, no conseguía desligarme de ellos. No sé ya en verdad si llegué realmente a encontrar alguna vez placer en aquella vida de borrachera y fanfarronería, pero sí recuerdo que no llegué a habituarme a la bebida hasta el punto de no sentir las penosas molestias consecutivas al exceso. Era todo como una obligación. Yo hacía lo que creía que debía hacer; de otra forma, no hubiera sabido qué hacer conmigo mismo. Tenía miedo de los arrebatos, terriblemente intensos, de ternura y timidez a que tendía constantemente. Tenía miedo de los suaves pensamientos amorosos que me asaltaban.

Lo que más echaba de menos era un amigo. Entre mis condiscípulos había dos o tres a los que veía con gusto. Pero éstos rehuían mi trato. Pertenecían a los buenos y hacía ya mucho tiempo que mis vicios no eran un secreto para nadie. Todos me consideraban un perdido irremisible, bajo cuyos pies se tambaleaba el suelo. Los profesores conocían mis trastadas; ya había sido castigado varias veces, mi expulsión definitiva del colegio era algo que todos esperaban. Yo lo sabía, y había dejado de ser buen alumno, limitándome a seguir a tropezones las clases, convencido de que aquello no podía durar mucho tiempo.

Hay muchos caminos por los que Dios puede llevarnos a la soledad y a nosotros mismos. Éste fue el camino por el que me condujo entonces a mí. Fue como una pesadilla. Me veo avanzar desasosegado y ansioso, como un hombre atormentado por un mal sueño, a través de largas noches de borrachera y cinismo, por un camino feo y sucio, cubierto de basuras y viscosidades y sembrado de vasos rotos. Así me sucedió a mí. De esta manera tan poco refinada, aprendí a estar solo y a levantar entre mi infancia y yo una puerta cerrada por guardianes implacables y resplandecientes. Esto fue un principio, un despertar de la nostalgia de mí mismo.

Todavía me sobrecogí convulso cuando mi padre acudió una primera vez a X, alarmado por las cartas del director de la pensión, y me encontré de pronto en su presencia. Pero cuando a finales de invierno repitió su visita, me encontró ya endurecido e indiferente a sus reproches, a sus ruegos y hasta al recuerdo de mi madre. Al final se irritó mucho y me dijo que si no cambiaba permitiría que me expulsaran del colegio ignominiosamente y me metería en un correccional. ¡A mí qué me importaba! Cuando partió, me dio pena de él; no había conseguido nada ni había encontrado un camino hasta mí; en algunos momentos, llegué a pensar que le estaba muy bien empleado.

Lo que fuera de mí me tenía sin cuidado. Yo mantenía a mi modo, tan singular como poco atractivo —con la borrachera y el juego—, mi lucha contra el mundo.

Era mi manera de protestar. Pero con ella me aniquilaba, y dándome cuenta planteaba a veces la cuestión en los siguientes términos: "Si el mundo no podía utilizar a los hombres como yo, si no tenía para ellos ningún puesto mejor ni podía encomendarles una labor más alta, no había para nosotros más camino que el aniquilamiento. Peor para el mundo."

Las vacaciones navideñas de aquel año fueron bastante tristes. Mi madre se asustó al verme. Había crecido aún más y mi rostro delgado tenía un aspecto gris y demacrado, con rasgos cansados y párpados enrojecidos. La primera sombra de bigote y las gafas que llevaba desde hacía poco me hacían más extraño ante sus ojos. Mis hermanas retrocedieron entre risitas. Todo fue penoso y amargo; la conversación con mi padre en su despacho, las visitas de los parientes; pero más que nada la Nochebuena. Toda la vida había sido la Nochebuena la fiesta más celebrada en nuestra casa, noche de amor y de gratitud en la que se renovaba la alianza con mis padres. Esta vez resultó ingrato y embarazoso. Como siempre, mi padre dio lectura al Evangelio de los pastores "que cuidan sus rebaños en el campo" como siempre; mis hermanas contemplaron deslumbradas sus regalos. Pero la voz de mi padre tenía un tono desgarrado y su rostro parecía envejecido y abrumado. Mi madre estaba triste, y para mí fue todo igualmente penoso e indeseado; los regalos y los votos de felicidad, el Evangelio y el árbol navideño. Los alfajores exhalaban un apetitoso perfume y densas nubes de recuerdos. El abeto aromaba y hablaba de cosas que ya no eran. Yo anhelaba el término de la noche y el de todos aquellos días de fiesta.

Y así prosiguió todo el invierno. El claustro de profesores me acababa de amonestar de nuevo y me amenazaba con la expulsión. Aquella situación no iba a durar mucho. Por mí...

No sabía nada de Max Demian y le reprochaba enconadamente el olvido en que me tenía. No había vuelto a verlo en todo aquel tiempo. Al principio de mi estancia en X le había escrito dos cartas que no obtuvieron respuesta. Por esta razón tampoco fui a visitarlo durante las vacaciones.

En el mismo parque donde había encontrado en el otoño a Alfonso Beck, vi al comenzar la primavera, precisamente cuando los matorrales empezaban a ponerse verdes, a una muchacha que me llamó la atención. Ello sucedió una tarde en que paseaba solitario y entregado a desagradables preocupaciones, pues veía quebrantada mi salud y pasaba, además, por constantes apuros económicos: debía diversas cantidades a varios camaradas, había dejado crecer en algunas tiendas cuentas de cigarros y otras cosas así, y tenía que inventar un gasto necesario para obtener de mis padres un nuevo envío de dinero. No es que estas preocupaciones fueran muy profundas;

cuando mi estancia en el colegio tocara a su fin y yo me suici-
dara o fuera encerrado en un correccional, pensaba, todas estas minucias tampoco tendrían ya mucha importancia. Pero,
con todo, me dolía vivir de continuo entre cosas tan poco gratas.

Ella era alta y esbelta, vestía con elegancia y tenía cara de
chico, inteligentemente expresiva. Quedé prendado de ella en
el acto. Pertenecía al tipo de mujer que yo admiraba y empezó
a ocupar mi fantasía. No sería mucho mayor que yo, pero estaba más hecha; era elegante y bien definida, casi ya una mujer,
y tenía un aire de gracia y juventud en el rostro que me cautivó.

Nunca me había aventurado a acercarme a ninguna de las
muchachas que me había interesado, y tampoco esta vez me
mostré más resuelto. Pero la impresión fue más honda que
nunca, y este enamoramiento ejerció sobre mi vida la más
poderosa influencia.

De pronto volvió a alzarse ante mis ojos una imagen subli-
me y venerada. ¡Ah! ¡Ninguna necesidad, ningún deseo era en
mí tan profundo y fuerte como el de venerar y adorar! Le puse
el nombre de Beatrice, nombre que conocía, sin haber leído a
Dante, por una pintura inglesa cuya reproducción guardaba,
una figura femenina, prerrafaelista, de esbeltos y largos miem-
bros, cabeza fina y alargadas manos cuyos rasgos eran espiri-
tualizados. La bella muchacha de mi encuentro no era del todo
semejante, pero mostraba también aquella esbelta forma un
poco masculina que tanto me atraía y un algo de la pura espiritualidad del rostro.

Nunca crucé con Beatrice ni una palabra. Sin embargo, ejerció en aquella época una influencia profundísima sobre mí.
Colocó ante mí su imagen, me abrió un santuario, me convir-
tió en un devoto que reza en un templo. De la noche a la mañana dejé de participar en las juergas y correrías nocturnas.
De nuevo podía estar solo. Recobré el gusto por la lectura, por
los largos paseos.

Esta súbita conversión atrajo sobre mí las burlas de mis
compañeros. Pero tenía de nuevo algo que adorar, poseía de
nuevo un ideal, la vida se mostraba de nuevo colmada de presagios en un misterioso, rosado alborear, y todos los sarcas-

mos se embotaron contra mi apacible insensibilidad. Volví a ser dueño de mí mismo, aunque sólo como esclavo y servidor de una imagen venerada.

No puedo recordar aquel tiempo sin cierta emoción.

Otra vez intentaba reconstruir con sincero esfuerzo un "mundo luminoso" sobre ruinas de un periodo de vida desmoronado. Otra vez vivía con el único deseo de acabar con lo tenebroso y malo en mi interior y de permanecer por completo en la claridad, de rodillas ante unos dioses. Este nuevo "mundo luminoso" era, además, propia creación mía; no era ya una fuga en busca del refugio materno, de la seguridad irresponsable, sino una servidumbre estatuida por mí, y que yo mismo me imponía, plena de responsabilidad y disciplina. La sexualidad, bajo cuyo imperio sufría y de la cual huía con esfuerzo infinito, debía depurarse en este fuego y convertirse en devoción y espíritu. No debía subsistir nada sombrío ni repulsivo: las noches atormentadas, las palpitaciones ante imágenes obscenas, la escucha a través de puertas prohibidas, la salacidad. En su lugar levantaría yo mi altar con la imagen de Beatrice: y al consagrarme a ella, me consagraría al mundo del espíritu y a los dioses. La parte de vida que arrebataba a las fuerzas del mal, la sacrificaba a la de la luz. Mi meta no era el placer, sino la pureza; no la felicidad, sino la belleza y el espíritu.

Este culto a Beatrice transformó por entero mi vida. Ayer todavía un cínico prematuro, era hoy devoto ministro de un templo, con la aspiración de llegar a ser un santo. No sólo me aparté de la mala vida a la que me había habituado, sino que traté de transformarlo todo infundiendo en todo, hasta en lo más cotidiano —la comida, el lenguaje y el vestido—, pureza, nobleza y dignidad. Comenzaba por las mañanas con abluciones frías, a las que me costó mucho acostumbrarme. Me conducía severa y dignamente, y andaba erguido y con paso más lento y mesurado. Desde fuera puede que todo esto resultara un tanto cómico, mas para mí, era un puro servicio divino.

Entre las nuevas actividades con que yo intentaba expresar el espíritu nuevo que me animaba, hubo una que adquirió gran importancia para mí. Empecé a pintar. Todo comenzó porque la pintura inglesa de Beatrice, que yo poseía, no se parecía del todo a aquella muchacha. Quería pintarla para mí. Con una alegría y una esperanza totalmente nuevas reuní en mi cuarto —hacía poco que tenía uno propio—, papel, colores y pinceles y preparé paleta, vasos, platillos y lápices. Los finos colores de temple en sus pequeños tubos me entusiasmaban. Había entre ellos un verde fogoso que aún me parece ver resplandecer en el pequeño cuenco de porcelana blanca.

Procedía con prudencia. Considerando muy difícil pintar de buenas a primeras una cabeza, probé antes mis fuerzas en empresas más sencillas. Pinté motivos decorativos, flores y pequeños paisajes imaginarios, un árbol junto a una ermita, un puente romano con cipreses. A veces me abstraía por completo en aquel juego, sintiéndome feliz como un niño con su caja de pinturas. Por último, comencé a pintar a Beatrice.

Los primeros dibujos fracasaron y los tiré. Cuanto más intentaba imaginarme el rostro de la muchacha, a la que solía ver por la calle, menos lo conseguía. Por fin renuncié a ello y me puse a dibujar simplemente un rostro, siguiendo a mi fantasía y las direcciones que surgían del pincel y los colores. Resultó un rostro imaginario y no me disgustó. Seguí inmediatamente haciendo nuevos ensayos. Cada dibujo era más elocuente, se aproximaba más al tipo deseado, aunque no a la realidad.

De este modo fui acostumbrándome más y más a abandonar el pincel a la sola guía del ensueño, trazando líneas y llenando superficies que no respondían a modelo alguno, producto inconsciente de tanteos caprichosos. Por último, un día, sin darme apenas cuenta, terminé una cara que me decía más que las anteriores. No era el rostro de aquella muchacha ni pretendía serlo. Era otra cosa, algo irreal pero no menos valioso. Parecía más una cabeza de muchacho que de muchacha; el pelo no era rubio sino castaño, con un matiz rojizo; la barbilla enérgica y firme contrastaba con la boca que era como una flor roja; el conjunto resultaba un poco rígido, con algo de máscara, pero impresionante y lleno de vida secreta.

La contemplación de aquella pintura despertó en mí una impresión singular. Me parecía como un icono o una máscara sagrada, a medias masculina y femenina, sin edad, tan voluntariosa como soñadora, tan rígida como secretamente viva.

Aquel rostro tenía algo que decirme, era algo mío, demandaba algo de mí. Y se parecía a alguien, no sabía yo a quién.

Y el retrato acompañó durante un tiempo todos mis pensamientos compartiendo mi vida. Lo guardaba en un cajón para que nadie lo encontrara y pudiera burlarse de mí. Pero cuando me hallaba a solas en mi cuartito, sacaba el retrato y conversaba con él. Por la noche lo sujetaba con un alfiler a la pared, frente a mi cabecera, y lo contemplaba hasta dormirme, y por la mañana le dedicaba mi primera mirada.

Precisamente por este tiempo volví a soñar muy a menudo, como siempre antes, de niño. Me parecía no haber tenido un solo sueño durante años enteros. Ahora surgían de nuevo, trayendo consigo imágenes muy distintas, y el rostro por mí pintado emergía una y otra vez en ellos, vivo y parlante, benévolo u hostil, contraído en una horrible mueca o infinitamente bello, armonioso y noble.

Y una mañana, al despertar de uno de aquellos sueños, de pronto le reconocí. Me miraba con un gesto muy familiar, parecía llamarme por mi nombre, parecía conocerme como una madre, parecía estar esperándome desde tiempos inmemoriales. Con el corazón palpitante contemplé largo rato la pintura, los cabellos morenos y espesos, la boca marcadamente femenina, la frente recia, bañada de una singular claridad (espontáneo reflejo surgido al secarse los colores), y sentí que cada instante me aproximaba más al reconocimiento, al reencuentro, a la identificación vislumbrada.

Salté de la cama, me planté delante del retrato y lo miré de cerca, directamente a los ojos, dilatados, verdosos y fijos, uno de los cuales, el derecho, estaba más alto que el otro. Y de pronto éste parpadeó, parpadeó leve, pero perceptiblemente. En este parpadeo reconocí al retratado... ¡Cómo pude haber tardado tanto! Era el rostro de Demian.

Más tarde comparé una y otra vez la pintura con los rasgos de mi amigo, tal como lo conservaba mi memoria. No eran en modo alguno los mismos, aunque sí parecidos. Mas a pesar de todo, era Demian.

Un atardecer, al principio del verano, el sol entraba oblicuo y rojo por mi ventana, que daba al oeste. La habitación iba quedando oscura. Se me ocurrió entonces sujetar el retrato de Beatrice, o de Demian, sobre los cristales, y ver cómo lo atravesaba el resplandor crepuscular. El rostro desapareció, sin contornos; pero los ojos enmarcados de rojo, la claridad de la frente y la boca intensamente roja ardían profunda y violentamente sobre la superficie blanca. Largo rato permanecí ante la pintura aun después de haberse extinguido su fulgor. Y poco a poco, fue apoderándose de mí la sensación de que no era Beatrice ni tampoco Demian a quien representaba, sino a mí mismo. El retrato no se me parecía —yo sentía que tampoco era necesario—, pero representaba mi vida, era mi interior, mi destino o mi demonio. Tal sería mi amigo, si alguna vez volvía a encontrar alguno. Así sería mi amante, si alguna vez la tenía. Así sería mi vida y así sería mi muerte; así eran el sonido y el ritmo de mi destino.

Durante aquellos días empecé una lectura que me impresionó más hondamente que todo lo que había leído hasta entonces. Tampoco más adelante he vivido tan intensamente un libro, excepto quizá Nietzsche. Era un tomo de Novalies, con cartas y sentencias, muchas de las cuales no comprendía pero que me atraían y fascinaban enormemente. Una de ellas me vino en aquel momento a la memoria y la escribí con la pluma al pie del retrato: "Destino y sentimiento son nombres de un solo concepto." Ahora lo comprendía.

Todavía encontré varias veces a la muchacha, a la que había dado el nombre de Beatrice. No sentía ya emoción al verla, pero sí un suave recuerdo, una intuición sensible: "Estás ligada a mí, pero no tú misma, sino tan sólo tu retrato; eres una parte de mi destino."

Nuevamente volví a sentir con fuerza la nostalgia de Max Demian. No sabía nada de él desde hacía años. Le había visto una sola vez durante las vacaciones. Ahora me apercibo de que he omitido este breve encuentro en mis anotaciones; y veo que lo he hecho por vergüenza y amor propio. Tengo que repararlo.

Durante unas vacaciones vagaba yo una tarde por las calles de mi ciudad natal, con la expresión desencantada y siempre un poco fatigada de mi época de excesos, blandiendo un bastoncillo y mirando con descaro los rostros envejecidos, pero siempre iguales, de los despreciados filisteos, cuando vi venir en sentido contrario a mi antiguo amigo. Su aparición me sobresaltó singularmente. Automáticamente tuve que pensar en Franz Kromer. ¡Ojalá hubiera olvidado Demian aquella historia! Era muy desagradable estar en deuda con él; aunque, en el fondo, había sido una estúpida historia de niños, al fin y al cabo yo no dejaba de estar en deuda con él.

Pareció esperar a ver si yo quería saludarlo, y cuando lo hice, esforzándome en mostrar la mayor naturalidad posible, me tendió la diestra ¡Aquél era de nuevo su apretón de manos! ¡Firme, cálido y distante al mismo tiempo, viril!

Me miró atentamente a la cara y dijo:

—Has crecido, Sinclair.

Él me pareció el mismo, tan maduro y tan joven como siempre.

Se unió a mí y dimos un paseo. Hablamos de muchas cosas sin importancia; pero nada sobre el pasado. Recordé que le había escrito varias veces, sin recibir contestación. ¡Ojalá hubiera olvidado también las estúpidas cartas! Él no habló de ellas.

Ni Beatrice ni el retrato existían aún por entonces. Me hallaba todavía en pleno periodo de disipación. En las afueras de la ciudad le invité a entrar en una bodega. Con estúpida fanfarronería pedí una botella de vino, llené los vasos, brindé con él y vacié el mío de un trago, mostrándome muy al corriente de los usos estudiantiles.

—¿Vas mucho a las tabernas? —me preguntó.

—Pues sí —contesté con desgano—; ¿qué va uno a hacer? En fin de cuentas, es lo más divertido.

—¿Crees tú? Quizá tengas razón. Desde luego, hay en ello algo que tiene su belleza; la exaltación báquica. Pero yo encuentro que en la gente que anda todo el día de taberna en taberna, se ha perdido por completo tal exaltación. Se ha convertido en un hábito, y, a mi ver, de los más filisteos. Una noche de verdadera embriaguez y orgía, a la luz de las antorchas... ¡Eso sí! Pero pasarse la vida sentado ante una mesa, tragando vaso tras vaso, ¿qué puede haber en ello? ¿Puedes imaginarte acaso a Fausto sentado una noche y otra en una tertulia de café?

Yo bebí y le miré, con hostilidad.

—Bueno, no todos somos Fausto —respondía secamente.

Me miró un poco sorprendido.

Luego se echó a reír con la frescura y la superioridad de siempre.

—Está bien. ¿Para qué vamos a discutir? De todos modos, la vida de un borracho o de un libertino es probablemente más intensa que la del burgués irreprochable. Y, además (lo he leído no sé dónde), la vida del libertino es una de las mejores preparaciones para el misticismo. Siempre son individuos como San Agustín, los que luego se tornan videntes. También San Agustín empezó por abandonarse al placer.

Yo sentía desconfianza y no quería dejarme dominar por él. Así, contesté muy indiferente:

—¡Sí, cada cual según su gusto! A mí, si quieres que te sea sincero, no me interesa ser profeta o algo parecido.

Demian me lanzó una mirada inteligente con ojos ligeramente entornados.

—Querido Sinclair —dijo lentamente—; no tenía intención de molestarte. Además, ninguno de los dos sabemos con qué fin vacías ahora tu vaso. Pero aquello que tienes en tu interior, aquello que conforma tu vida, sí lo sabe; y es bueno tener conciencia de que en nosotros hay algo que lo sabe todo, lo quiere todo y lo hace mejor que nosotros. Pero, perdona, tengo que irme a casa.

Nos despedimos brevemente. Yo permanecí en la taberna, invadido por un oscuro mal humor; acabé de vaciar la botella, y al marcharme supe que Demian había pagado el gasto. Este detalle aumentó mi irritación.

Mis pensamientos se concentraron en este pequeño suceso; y Demian los ocupaba todos. Las palabras que pronunció en aquella taberna de las afueras de la ciudad me volvieron a la memoria, frescas e indelebles: "Y es bueno tener conciencia de que en nosotros hay algo que lo sabe todo."

Contemplé de nuevo el retrato colgado de la ventana, extinguido ya por completo. Pero aún veía brillar sus ojos. Era la mirada de Demian. O de aquel que había dentro de mí y lo sabía todo.

Mi deseo de volver a encontrar a Demian se hacía cada vez más ardiente. No tenía noticia alguna de él ni sabía cómo llegarle. Sólo sabía que, al terminar sus estudios en el colegio, había abandonado con su madre nuestra ciudad, probablemente para continuarlos en otro centro superior.

Evoqué todos mis recuerdos de Max Demian, remontándome hasta mi aventura con Kromer. ¡Cuántas cosas, de las que había dicho entonces, volvieron a surgir! Y todas tenían aún sentido, eran actuales, me concernían. También lo que me había dicho, en nuestro último y poco grato encuentro, sobre el libertinaje y la santidad, surgió con toda claridad en mi alma. ¿No era quizá precisamente aquello que me había sucedido? ¿No había vivido acaso en la embriaguez y en el fango, en la disipación y en el desorden, hasta que un nuevo impulso vital había despertado en mí precisamente lo contrario, el ansia de pureza y la nostalgia de la santidad?

Fui siguiendo mis recuerdos mientras caía la noche. Fuera llovía. También en mis recuerdos oía caer la lluvia bajo los castaños, el día que Demian me preguntó qué me pasaba con Franz Kromer y acertó mi secreto. Enlazándose unos a otros, continuaron emergiendo los recuerdos: conversaciones camino del colegio, la clase de religión. Y por último, surgió el de mi primer encuentro con Max Demian. ¿De qué hablamos entonces? Al principio no conseguí encontrarlo en mi memoria, pero mi lenta y absorta evocación acabó por traerlo también de nuevo a ella. Habíamos estado parados delante de nuestra casa, después de que él me había comunicado su opinión sobre Caín. Había hablado del viejo y borroso escudo que campeaba sobre nuestro portal; y me había dicho que el escudo le interesaba, que había que fijarse bien en estas cosas. Por la noche, soñé con Demian y con el escudo, que cambiaba de forma constantemente. Demian lo sostenía entre sus manos; unas veces era pequeño y gris, otras imponente colorido, pero, según me explicaba él, siempre era el mismo. Por último, me obligaba a comérmelo, y de pronto sentía, con espanto indecible, que el pájaro heráldico adquiría vida en mí y comenzaba a devorarme las entrañas. Presa de mortal angustia desperté.

Era aún noche cerrada. Me despabilé y oí que la lluvia caía dentro de la habitación. Me levanté a cerrar la ventana y pisé algo blanquecino que había caído en el suelo. Por la mañana vi que era mi pintura. Estaba en el suelo, mojada, y se había arrugado. La puse a secar en un libro, entre papel secante, y al cabo de unos cuantos días, cuando fui a verla, la encontré en buen estado, pero algo cambiada. La boca se había afinado un poco y no era ya tan roja. Ahora era exactamente la de Max Demian.

Me puse a hacer un nuevo dibujo del ave heráldica. No recordaba muy bien su verdadero aspecto; sabía que muchos detalles ya no se reconocían, porque el escudo era viejo y había sido pintado varias veces. El pájaro estaba posado sobre algo, una flor, un cesto, un nido o una copa de árbol. Sin ocuparme de lo que fuese, comencé a pintar aquella parte de la que conservaba una idea más precisa, y, guiado por un oscuro impulso interior, emplee desde luego los colores más vivos de mi paleta, dando a la cabeza del pájaro un ardiente tono dorado. Luego continué a mi capricho, y en el término de unos días quedó terminada la pintura.

Resultó un ave de rapiña con una afilada y audaz cabeza de gavilán, con medio cuerpo dentro de una bola del mundo oscura, de la que surgía como un huevo gigantesco, sobre un fondo azul. Mientras más miraba mi obra, más me parecía que era el escudo coloreado que había visto en mi sueño.

Aunque hubiera sabido las señas de Demian no me hubiera sido posible escribirle. Pero, guiado por aquella misma oscura intuición que por entonces dirigía todos mis actos, decidí enviarle mi dibujo, llegase o no a sus manos. Sin escribir nada en él, ni siquiera mi nombre, corté cuidadosamente sus bordes, compré un sobre grande y lo dirigí al domicilio antiguo de mi amigo, en mi ciudad natal. Luego, lo eché al correo.

Se aproximaba un examen y yo tenía que estudiar más que de costumbre, para el colegio. Desde que había abandonado aquella conducta despreciable, los profesores me habían acogido otra vez con benevolencia. Tampoco era ahora un buen alumno, pero ni yo ni nadie se acordaba ya de que medio año antes todos habían dado como probable mi expulsión del colegio.

Mi padre volvía a escribirme ahora como en un principio, sin reproches ni amenazas. Mas, por mi parte, no sentía deseo alguno de explicar a nadie cómo se había desarrollado en mí aquella transformación. Si coincidía con los deseos de mis padres y profesores, era por pura casualidad. El cambio no me acercó más a los compañeros; no me acercó a nadie; sólo me hizo más solitario. Pero me impulsaba hacia Demian, hacia un destino lejano. Yo mismo no lo sabía, pues me encontraba en el centro de la corriente. Había comenzado con Beatrice; pero desde algún tiempo atrás vivía yo, con mis dibujos y mis recuerdos de Demian, en un mundo tan irreal, que también ella desapareció por completo de mis ojos y de mi pensamiento. No hubiera podido contar a nadie una palabra de mis sueños, esperanzas y transformaciones interiores, aunque hubiera querido.

Pero, ¿cómo lo iba a querer?

5 EL PÁJARO ROMPE EL CASCARÓN

El ave de mi sueño se hallaba de camino en busca de mi amigo, cuando, por maravilla, me llegó una respuesta.

Un día, después del recreo, encontré en clase, sobre mi pupitre, un papel metido en mi libro. Estaba doblado como de costumbre entre nosotros, cuando los compañeros se enviaban recados secretos durante la clase. A mí me sorprendió que alguien me mandara uno, pues yo no mantenía esta clase de comunicación con ninguno de mis compañeros, y no podía imaginar, por tanto, quién me escribía. Pensé que sería una invitación a cualquier burla escolar, en la que había de tomar parte, y, sin pararme a leer lo escrito, dejé el papel entre las hojas del libro.

Después, durante la clase, por casualidad, volvió a caer en mis manos, jugué un rato con él, lo desdoblé distraídamente y encontré unas pocas palabras escritas. Al repasarlas distraídamente, mis ojos permanecieron fijos en una palabra, Sobrecogido, leí, mientras mi corazón se contraía ante el destino, como invadido por un repentino frío: "El pájaro rompe el cascarón. El cascarón es el mundo. Quien quiera nacer, tiene que destruir al mundo. El pájaro vuela hacia dios, el dios se llama Abraxas."

Después de leer varias veces estas líneas, caí en honda meditación. No había duda: era la respuesta de Demian. Sólo él y yo conocíamos aquel pájaro. Había recibido mi dibujo. Había comprendido y me ayudaba a interpretar. Pero, ¿qué relación tenía todo aquello entre sí? Y, sobre todo, ¿quién era aquel misterioso Abraxas? No recordaba haber oído ni leído nunca antes tal nombre. "¡El dios se llama Abraxas!"

La clase pasó sin que me enterara de nada. Dio comienzo la siguiente, la última de la mañana. La daba un joven ayudante que acababa de salir de la universidad y que nos gustaba porque era muy joven y no se daba importancia ante nosotros.

En aquel curso leíamos, bajo su dirección, a Herodoto. Esta lectura era una de las pocas tareas escolares que habían llegado a interesarme. Sin embargo, aquel día tampoco llegó a captar mi atención. Había abierto maquinalmente el libro, pero no seguía la traducción y permanecía absorto en mis reflexiones. Además, había comprobado ya repetidas veces la exactitud de lo que Demian me había dicho un día en la clase de religión: lo que se desea con bastante fuerza, se consigue. Si durante la clase estaba yo intensamente dedicado a mis propios pensamientos, podía estar tranquilo, el profesor me dejaba en paz. Pero si estaba distraído o adormilado, le tenía de pronto ante mí, como me había pasado ya otras veces. Sin embargo, cuando uno pensaba de verdad y estaba absorto, estaba protegido. También había experimentado y comprobado el poder de la mirada. Antes, en los tiempos de Demian, no conseguía obtener resultado alguno; pero ahora sabía ya por experiencia que con la mirada y el pensamiento podía hacerse mucho.

Estaba yo muy lejos de Herodoto y del colegio cuando de pronto la voz del doctor Follen me traspasó la conciencia como un rayo y me despertó sobresaltado. Oí su voz: se encontraba muy cerca de mí, y casi creí que había pronunciado mi nombre. Pero no se fijaba en mí. Respiré aliviado.

En esto volví a escucharlo. Pronunciaba un nombre: "Abraxas."

Continuando una explicación, cuyo principio se me había escapado, decía: "En cuanto a las doctrinas de aquellas sectas y comunidades místicas de la antigüedad, no debemos suponerlas tan simples e ingenuas como nos lo parecen desde un punto de vista estrictamente racionalista. La antigüedad no poseía una ciencia en nuestro sentido actual, pero en cambio llevaba a cabo una profunda elaboración mental de toda una serie de verdades filosófico-místicas. En parte esto degeneraba en magia y superficialidad, que seguramente condujeron más de una vez a engaños y crímenes. Pero también la magia tenía un origen noble y pensamientos profundos, como la doctrina de Abraxas, que puse antes como ejemplo. Si cita este nombre en relación con fórmulas mágicas griegas y se le considera a menudo el nombre de un hechicero, al estilo de los que hoy tienen los pueblos salvajes. Pero parece que Abraxas significa mucho más. Podemos pensar que es el nombre de un dios que tiene la función simbólica de unir lo divino y lo demoniaco."

El joven erudito continuó celosamente su explicación, que la clase no seguía sino a medias, y como el nombre de Abraxas no volvió a surgir en ella, también mi atención retornó de nuevo a mis propios pensamientos.

"Unir lo divino y lo demoniaco", resonaba aún en mi mente. Aquí podía yo empalmar mis reflexiones; el tema me resultaba familiar por las conversaciones que había tenido con Demian en el último tiempo de nuestra amistad. Demian había dicho que venerábamos a un Dios que representaba sólo a una mitad del mundo arbitrariamente separada del mundo oficial, permitido, "claro", pero que se debería llegar a poder venerar la totalidad del mundo; por lo tanto, había que tener un dios que fuera a la vez demonio o había que instaurar junto al culto de dios un culto al diablo. Ahora resultaba que Abraxas era el dios que reunía en sí a Dios y al diablo.

Durante largos días intenté con vano empeño seguir aquella pista. Sin resultado alguno revolví toda una biblioteca en busca de Abraxas. Mi naturaleza no se había adaptado nunca a esta clase de investigación, directa y consciente, que sólo nos procura, en un principio, verdades con las que no sabemos qué hacer.

La imagen de Beatrice, que tanto y tan intensamente me había ocupado, se fue perdiendo lentamente, alejándose de mí, acercándose más y más al horizonte, haciéndose borrosa, lejana, pálida. Ya no satisfacía a mi alma.

En mi singular existencia de sonámbulo, enclaustrada en sí misma, se inició ahora un nuevo brote. Floreció en mí la nostalgia de la vida, y el ansia de amor y adoración a Beatrice, reclamaron nuevas imágenes y nuevos fines. Pero tales deseos seguían sin encontrar cumplimiento, y también me era más imposible que nunca engañar mis anhelos y esperar algo de las muchachas junto a las cuales buscaban mis camaradas su felicidad. Empecé a soñar otra vez; y más aún durante el día que durante la noche. Imágenes, ideas, deseos brotaban en mí y me apartaban del mundo exterior, hasta el punto de tener un trato más verdadero y vivo con los sueños, con las imágenes y sombras, que con el mundo verdadero que me rodeaba.

Un cierto sueño, una fantasía, constantemente repetida, llegó a adquirir máxima significación. Este sueño, el más importante y tenaz de toda mi vida, era, aproximadamente, como sigue: yo regresaba a la casa paterna. Encima de la puerta resplandecía el pájaro heráldico, amarillo sobre fondo azul. Mi madre salía a mi encuentro; pero cuando yo entraba y me disponía a abrazarla no era ya ella, sino una figura nunca vista, alta y majestuosa, parecida a Max Demian y a mi primer dibujo, y al mismo tiempo distinta y, a pesar de su arrogancia, completamente femenina. Esta figura me atraía hacia sí y me acogía en un abrazo amoroso, profundo y vibrante. El placer y el espanto se mezclaban; el abrazo era culto divino y a la vez crimen. En el ser que me estrechaba anidaban demasiados recuerdos de mi madre, demasiados recuerdos de mi amigo Demian. Su abrazo atentaba contra las leyes del respeto, y, sin embargo, era pura bienaventuranza. Muchas veces me despertaba con un profundo sentimiento de felicidad; otras con miedo mortal y conciencia atormentada, como si despertara de un terrible pecado.

Sólo muy poco a poco y de un modo inconsciente fue estableciéndose un enlace entre esta imagen puramente interior y la indicación llegada a mí desde el exterior sobre el dios que había de ser buscado. Pero este enlace se hizo luego cada vez más estrecho e íntimo y comencé a sentir que precisamente en aquel sueño conjuraba a Abraxas. Placer mezclado con espanto, hombre y mujer entrelazados, lo más sagrado junto a lo más horrible, la culpa más negra palpitando bajo la más tierna inocencia, así era mi sueño de amor, así era también Abraxas. El amor no era un oscuro instinto animal, como en un principio lo había sentido; ni era tampoco una piadosa adoración espiritual, como la que yo había consagrado a la imagen de Beatrice. Eran ambas cosas, ambas y muchas más: era ángel y demonio, hombre y mujer en uno, hombre y animal, sumo bien y profundo mal. Lo deseaba y lo temía; pero estaba siempre presente, siempre por encima de mí.

En la primavera siguiente iba a dejar el colegio para ir a la universidad, aunque todavía no sabía a cuál ni tampoco a qué facultad. Sobre mi labio superior crecía un pequeño bigote; ya era un hombre hecho y derecho y, sin embargo, estaba completamente desorientado. Sólo había una cosa segura en mí: la voz de mi interior, mi sueño. Sentía el deber de seguir ciegamente aquella guía. Pero me era harto difícil y todos los días me rebelaba contra él. A veces pensaba si estaría loco o no sería quizá como los demás hombres. Mas, por otro lado, podía hacer todo lo que ellos hacían. Con un poco de aplicación y de trabajo podía leer a Platón, resolver problemas trigonométricos y seguir un análisis químico. Pero había una cosa de la que no era capaz: arrancar la meta vital que se ocultaba oscuramente en mi interior y plasmarla ante mis ojos, como lo hacían todos aquellos que sabían perfectamente que iban a ser profesor o juez, médico o artista, cuánto tardarían en llegar y qué ventajas tendrían. Yo no podía. Quizá también llegaría yo un día a algo; pero, ¿cómo iba a saberlo? Quizá tuviese que buscar y buscar, durante años, sin llegar a nada, sin alcanzar ninguna meta. Y quizá alcanzase esa meta, pero una meta perversa, peligrosa y temible. Quería tan sólo intentar vivir aquello que tendía a brotar espontáneamente de mí. ¿Por qué se me iba a hacer tan difícil?

Varias tentativas de pintar la poderosa figura amante de mi sueño me fracasaron por completo. Si lo hubiese logrado habría enviado a Demian la pintura. ¿Dónde se encontraba? No lo sabía. ¿Cuándo volvería a verlo?

La paz amable de las semanas y meses bajo la influencia de Beatrice se había esfumado. Entonces creí que había encontrado una isla y una paz. Así solía sucederme cuando una situación me resultaba agradable, cuando un sueño me hacía bien, empezaba a secarse y a perder su fuerza. Era inútil añorarlos. Ahora vivía en un continuo ardor de anhelos incumplidos, en una incesante espera tensa que llegaba a menudo a enloquecerme. La imagen amada de mi sueño surgía con frecuencia ante mí con más claridad y precisión que si se tratase de un ser real; la veía mejor que veía mis propias manos, y hablaba con ella, lloraba ante ella y la maldecía. La llamaba madre y me arrodillaba a sus pies; la llamaba amor y presentía su beso maduro y saciante; la llamaba demonio y prostituta, vampiro y asesino. Me inspiraba tiernos sueños de amor y procaces obscenidades; para ella nada era demasiado bueno y precioso ni tampoco demasiado malo y bajo.

Pasé todo aquel invierno sacudido por una tormenta interior, difícil de describir. Estaba acostumbrado a la soledad; no me molestaba. Vivía con Demian, con el gavilán, con la imagen de mi sueño que era mi destino y mi amada. Aquello me bastaba para vivir, porque estaba dirigido hacia la grandeza y la lejanía, y me conducía a Abraxas. Pero ninguno de estos sueños, ninguno de mis pensamientos me obedecía, no me era posible someter a mi voluntad su emergencia ni darle a mi capricho su color. Venían y se apoderaban de mí; era dominado por ellos, era por ellos vivido.

En cambio, me encontraba protegido contra el mundo exterior. Ningún hombre me inspiraba miedo. Mis condiscípulos lo habían adivinado así y me mostraban un oculto respeto que a veces me hacía sonreír. Cuando quería, podía penetrar sin dificultad sus más íntimos pensamientos, dejándolos asombrados. Pero no quería nunca, o sólo muy pocas veces. Estaba siempre muy preocupado conmigo mismo, siempre conmigo mismo. Deseaba dar algo de mi persona al mundo, entrar en relación y lucha con él. A veces, cuando caminaba por las calles al anochecer y no podía regresar a casa hasta media noche, creía que en aquellos momentos encontraría a mi amada, que aparecería tras la próxima esquina, que me llamaría desde la próxima ventana. Todo esto solía parecerme angustioso e insoportable y pensaba que algún día acabaría quitándome la vida.

Por esos días, la "casualidad", según el dicho corriente, me hizo encontrar un singular refugio. Pero no hay tales casualidades. Cuando alguien que de verdad necesita algo lo encuentra, no es la casualidad quien se lo procura, sino él mismo. Su propio deseo y su propia necesidad lo conducen a ello.

En mis paseos por la ciudad había oído una o dos veces música de órgano en una pequeña iglesia de las afueras, pero nunca me había detenido a escucharla. Al volver a pasar por allí, me paré a oír aquella música y reconocí que era de Bach. Me acerqué a la puerta, que encontré cerrada; y como la calleja estaba casi desierta, me senté en un apoyo junto a la iglesia, me subí el cuello del abrigo y me puse a escuchar. El órgano, aunque no muy potente, era bueno, y el organista tocaba de maravilla, con una expresión personalísima de voluntad y tenacidad, que sonaba como una oración. Experimenté la impresión de que el hombre que se hallaba sentado ante el teclado sabía que aquella música encerraba un tesoro y se afanaba en sacarlo a luz, como si le fuera en ello la vida. Técnicamente, no entiendo gran cosa de música, pero desde niño he comprendido, por instinto, esta expresión del alma y he sentido ante mí la afición musical como algo natural e innato.

El músico tocó después algo más moderno, podía ser de Reger. La iglesia estaba casi a oscuras y sólo salía un suave fulgor a través de la ventana más cercana. Esperé a que la música terminara y pasee un rato de arriba abajo hasta que vi salir al organista. Era un hombre aún joven pero mayor que yo, fuerte y achaparrado. Echó a andar con pasos rápidos, enérgicos, un poco violentos, y después desapareció.

Todavía acudí a la capilla varios otros atardeceres; sentábame junto a la entrada o paseaba a lo largo de la fachada. Una vez encontré abierta la puerta y permanecí media hora en el interior solitario y frío, mientras el organista tocaba arriba, a la pálida luz de un mechero de gas. En su música no lo oía solamente a él mismo. Me parecía también que todas las cosas que tocaba eran afines entre sí, que todas ellas estaban enlazadas por una secreta conexión. Todo lo que tocaba era creyente, era ferviente y piadoso; pero no piadoso como los beatos y los clérigos, sino como los peregrinos y los mendigos de la Edad Media; piadoso con una entrega plena a un sentimiento del mundo, superior a todas las confesiones. Los maes-

tros anteriores a Bach y los antiguos italianos eran interpretados con exquisito cuidado. Y todos decían lo mismo, todos
decían aquello que también el organista llevaba en su alma;
nostalgia, íntima aprehensión del mundo y violenta separa-
ción de él, tensa atención ardiente a los movimientos de la
propia alma oscura, fervorosa entrega y profunda curiosidad
de lo maravilloso.

Un día seguí disimuladamente al organista a la salida de
la iglesia y le vi entrar en una pequeña taberna, muy lejos ya,
en las afueras de la ciudad. No pude resistir la tentación y
entré tras él. Le vi por primera vez claramente. Estaba sentado en un rincón del pequeño local, con un sombrero negro en
la cabeza y una jarra de vino delante. Su rostro era como yo
me lo había imaginado. Era feo y un poco salvaje, inquieto e
intenso, terco y voluntarioso; alrededor de la boca, sin embargo, tenía un gesto tierno e infantil. La virilidad y la fuerza se
hallaban concentradas en los ojos y la frente, la parte inferior
del rostro era suave e inacabada, incontrolado y hasta blan-
da; la barbilla llena de indecisión, formaba un contraste adolescente con la frente y la mirada. Lo que más me complacía
eran los ojos, llenos de orgullo y hostilidad.

Silenciosamente fui a sentarme en una banqueta frente
a la suya. En la taberna no había nadie más. Al advertir mi
presencia me miró irritado, como si quisiera echarme de
allí. Pero sostuve la mirada, hasta hacerle exclamar con rudo
acento:

—¿Por qué me mira usted de ese modo? ¿Quiere algo de mí?

—No quiero nada de usted —respondí—; ya me ha dado
usted mucho.

Arrugó la frente.

—¡Ah! ¿Es usted aficionado a la música? A mí me parece
tonta esa afición.

Sin dejarme intimidar repliqué:

—Le he estado escuchando muchas veces, en la iglesia de
las afueras —dije—. Desde luego, no quiero molestarle. Pensé
que encontraría en usted algo especial, no sé bien qué. Pero no
me haga caso. Puedo seguir escuchándole en la iglesia.

—Siempre cierro con llave.

—Hace poco se olvidó usted, y estuve dentro, oyéndole tocar. Otras veces me quedo fuera o me siento junto a la puerta.

—¿Ah, sí? La próxima vez puede entrar; hace más calor dentro. No tiene más que llamar a la puerta. Pero con fuerza, y no mientras esté yo tocando. Y ahora, ¿qué es lo que me quería decir? Es usted joven, probablemente un colegial o estudiante. ¿Es usted músico?

—No. Me gusta oír música; pero sólo como la que usted toca, música totalmente incondicionada, en la que se siente que un hombre conjura el cielo y el infierno. Creo que si la música me gusta tanto es por su carencia de moralidad. Todo lo demás es moral, y yo busco algo que no lo es. Lo moral no me ha procurado nunca nada que no fuera doloroso. Pero no logro expresarme bien... ¿Sabe usted ya que ha de haber un dios que es dios y demonio al mismo tiempo? He oído decir que ya hubo uno.

El músico echó hacia atrás el sombrero de ala ancha y se sacudió el pelo oscuro de la amplia frente. Me miró atentamente por encima de la mesa con el rostro inclinado hacia mí.

En voz baja y vibrante preguntó:

—¿Cómo se llama ese dios que usted dice?

—Por desgracia no sé casi nada de él; en realidad, sólo su nombre. Se llama Abraxas.

El músico miró en torno suyo con desconfianza, como si alguien pudiera oírnos. Luego se acercó más a mí y murmuró:

—Ya me lo imaginaba. ¿Quién es usted?

—Soy un alumno del liceo.

—¿Cómo ha sabido usted de Abraxas?

—Por casualidad.

Dio un puñetazo en la mesa con tal fuerza que el vino saltó del vaso.

¡Por casualidad! No diga usted tonterías. Sepa usted que cuando se llega a tener noticia de Abraxas no es nunca por casualidad. Yo le diré algo más acerca de él.

Calló y corrió hacia atrás su silla. Yo le miraba expectante, pero él hizo una mueca.

—Aquí no; otro día. ¡Tome!

Metió la mano en el bolso de su abrigo, que no se había quitado, y sacó unas castañas asadas que echó sobre la mesa.

Yo no dije nada; las tomé y empecé a comerlas muy satisfecho.

—Vamos a ver —murmuró al cabo de un rato—. ¿Cómo ha sabido usted de... él?

No vacilé en contárselo:

—Fue en una época en la que me sentía muy solitario y perplejo. Me acordé entonces de un amigo mío de años anteriores, del que sospecho que sabe muchas cosas, y decidí enviarle un dibujo mío, que representaba un pájaro saliendo de una esfera terrestre. Algún tiempo después, cuando ya desconfiaba de obtener la respuesta, llegó a mis manos un papel con las siguientes líneas: "El pájaro rompe el cascarón. El huevo es el mundo. El que quiere nacer tiene que romper un mundo. El pájaro vuela hacia dios. El dios se llama Abraxas."

Sin responderme nada, el músico siguió pelando sus castañas y bebiendo vino.

—¿Tomamos otra jarra?

—Gracias. No me gusta beber.

El se rió un poco decepcionado.

—¡Como quiera! A mí me pasa todo lo contrario. Me quedo todavía un rato. ¡Váyase si quiere!

Cuando lo acompañé la próxima vez, después de ensayar, no estuvo muy comunicativo. Me condujo por una calle antigua hasta un viejo e imponente caserón. Subimos a una habitación grande, un poco oscura y descuidada, donde nada, excepto un piano, recordaba la música, en tanto que un gran estante de libros y un escritorio daban un aire de sabiduría a la estancia.

—¡Cuántos libros tiene usted! —exclamé admirado.

—Parte de ellos pertenecen a la biblioteca de mi padre, con el cual vivo... Sí, vivo todavía con mis padres, pero no puedo presentarlo a ellos, porque mi trato no es precisamente muy estimado en esta casa. Ha de saber usted que yo soy un hijo descarriado. Mi padre es un hombre extraordinariamente honorable, uno de los sacerdotes y predicadores más importantes de esta ciudad. Y, para enterarle a usted ya de todo, le diré que yo soy su señor hijo, persona muy inteligente y que prometía mucho, pero que se ha apartado del buen camino y está un poco chiflado. Estudiaba Teología, y poco antes de la licenciatura abandoné tan honrada facultad, aunque en cierto modo, siga dentro de la carrera en cuanto a mis estudios particulares. Aún siguen pareciéndome muy importantes e interesantes los dioses que la gente se ha inventado en cada época. Ahora soy músico y parece que me van a dar pronto un puesto de organista. Entonces estaré otra vez en el seno de la Iglesia...

Miré hacia los estantes de libros, y al débil resplandor de la lámpara de mesa, encontré títulos griegos, latinos, hebreos. Mientras tanto mi amigo se había tumbado en el suelo, junto a la pared, y manipulaba allí en la oscuridad.

—Venga usted acá. Vamos a hacer un poco de filosofía; esto es, a callar el pico, tumbarnos boca abajo y pensar.

Encendió una cerilla y prendió las teas dispuestas en la chimenea, ante la cual se hallaba, y que yo no había advertido hasta entonces. La llama se elevó, alta, y mi huésped atizó y alimentó el fuego con exquisito cuidado. Yo me eché a su lado, sobre la alfombra gastada y, como él, clavé mis ojos en el fuego; y los dos permanecimos durante más de una hora callados, boca abajo, frente al fuego crepitante, observando cómo llameaba y ardía, cómo se achicaba y se retorcía, oscilaba y chisporroteaba hasta convertirse en un silencioso y perdido montón de brasas.

—La adoración del fuego no ha sido de lo más tonto que se ha inventado —murmuró una vez entre dientes mi acompañante.

Fuera de esto, ninguno de los dos pronunciamos una sola palabra. Con los ojos fijos en el fuego y sumido en un hondo ensueño silencioso, veía figuras en el humo y formas en la ceniza. De pronto me sobresalté. Mi compañero había echado un trozo de resina al fuego; de repente brotó una pequeña y delgada llama, en la que vi el pájaro con la cabeza amarilla de gavilán. En las brasas agonizantes refulgían hilos dorados y ardientes formando redes, aparecían letras y dibujos, recuerdos de rostros, animales, plantas, gusanos y culebras. Cuando me desperté y miré a mi amigo, lo vi con la barbilla apoyada sobre los puños, concentrado en la ceniza, con mirada fanática y fervorosa.

—Tengo que irme —dije en voz baja.

—Está bien. Váyase. Hasta la vista.

No se levantó, y, como la lámpara se había apagado, tuve que andar trabajosamente a tientas a través del cuarto y luego por los corredores y escaleras, hasta ganar la salida del viejo caserón. Al llegar a la calle me detuve y examiné la fachada. Ninguna de las ventanas dejaba escapar el más mínimo resplandor. Una placa de bronce relucía en el portal, a la luz de un farol vecino: "Pistorius, párroco", leí en ella.

Una vez en casa, al encontrarme en mi cuarto después de cenar, me di cuenta de que no había averiguado nada sobre Abraxas ni sobre Pistorius y que apenas habíamos intercambiado diez palabras. ¡A pesar de ello, estaba muy satisfecho de la visita. Para la próxima vez mi nuevo amigo me había prometido una pieza exquisita de música de órgano antigua: un pasacalle de Bustehude.

Sin que yo lo supiera, el organista Pistorius me había dado una primera lección mientras estaba tumbado junto a él, en el suelo, ante la chimenea de su triste cuarto de solitario. La contemplación del fuego me había hecho bien, había confirmado y fortificado en mí tendencias que siempre había entrañado, pero que jamás me había cuidado de fomentar. Poco a poco fui apreciándoles fragmentariamente con mayor claridad. Poco a poco fui viendo claro, al menos parcialmente ya desde niño me había gustado contemplar las formas extrañas de la naturaleza, no observándolas simplemente sino entregándome a su propia magia, a su profundo y barroco lenguaje. Las raíces largas y fosilizadas de los árboles, las vetas coloreadas de la piedra, las manchas de aceite flotando sobre el agua, las grietas en el cristal; todas estas cosas habían ejercido antaño una gran fascinación sobre mí, sobre todo el agua y el fuego, el humo, las nubes, el polvo, y especialmente, las manchas de colores que veía girar al cerrar los ojos. En los días siguientes a mi visita a Pistorius comenzó a atraerme de nuevo todo ello, pues advertí que una cierta sensación de alegría y de fuerza, surgida en mí después de aquella tarde, una intensificación de mi conciencia de mí mismo, la debía por entero a mi larga contemplación del fuego, benéfica y enriquecedora.

Entre las pocas experiencias que he realizado en el camino hacia mi verdadera meta vital se cuenta la contemplación de esas imágenes. La entrega a las formas irracionales, barrocas y extravagantes de la naturaleza produce en nosotros un sentimiento de concordancia entre nuestro interior y voluntad que las ha producido. Nos sentimos tentados a creerlas caprichos nuestros, creaciones propias; vemos vacilar y disolverse la frontera entre nosotros y la naturaleza, y adquirimos conciencia de un estado de ánimo en el que no sabemos si las imágenes en nuestra retina provienen de impresiones exteriores o interiores. Ninguna otra práctica nos descubre tan fácil y sencillamente como ésta hasta qué punto somos también nosotros creadores y cómo nuestra alma participa siempre en la continua creación del mundo. Una misma divinidad indivisible actúa en nosotros y en la Naturaleza, y si el mundo exterior desapareciese, cualquiera de nosotros sería capaz de reconstruirlo, pues la montaña y el río, el árbol y la hoja, la raíz y la flor, todo lo creado en la Naturaleza está previamente creado en nosotros, proviene del alma, cuya esencia es eternidad, esencia que escapa a nuestro conocimiento, pero que se nos hace sentir como fuerza amorosa y creadora.

Algunos años después encontré confirmada esta observación en un libro de Leonardo da Vinci, en el que se comentaba lo sugestivo e interesante que era contemplar un muro en el que había escupido mucha gente. Delante de aquellas manchas sobre el muro húmedo, Leonardo había sentido lo mismo que Pistorius y yo delante del fuego.

En nuestro siguiente encuentro, el organista me dio una explicación:

—Suponemos siempre demasiado estrechos los límites de nuestra personalidad. Adscribimos tan sólo a nuestra persona aquello que distinguimos como individual y divergente. Pero cada uno de nosotros es en el ser total del mundo, y del mismo modo que nuestro cuerpo integra toda la trayectoria de la evolución, hasta el pez e incluso más atrás aún, llevamos también en el alma todo lo que desde un principio ha vivido en las almas de los hombres. Todos los dioses y todos los demonios habidos, sea entre los griegos, los chinos o los cafres, todos están con nosotros, están presentes, como posibilidades, deseos o caminos. Si toda la humanidad muriese, con la única excepción de un solo niño, medianamente dotado, este niño superviviente, volvería a hallar el curso de las cosas y podría crearlo otra vez todo: dioses, demonios y paraísos, mandamientos e interdicciones, antiguos y nuevos Testamentos.

—Bien —objeté yo—. ¿Dónde queda entonces el valor del individuo? ¿Para qué nos esforzamos si ya llevamos todo acabado en nosotros mismos?

—¡Alto! —exclamó violentamente Pistorius—. Hay una gran diferencia entre llevar el mundo en sí mismo y saberlo. Un loco puede tener ideas que recuerden a Platón, y un pequeño y devoto colegial del Instituto de Hernhut puede recrear las profundas conexiones mitológicas que aparecen en los gnósticos o en Zoroastro. ¡Pero no lo sabe! Y mientras no lo sabe, es un árbol o una piedra, y, en el mejor caso, un animalito. No creo que vea usted hombres en todos los bípedos que van por esas calles, simplemente porque andan erectos y llevan en sí nueve meses a sus crías. Sabe usted muy bien que muchos de ellos no son sino peces u ovejas, gusanos o sanguijuelas, hormigas o avispas. Todos ellos entrañan posibilidades de llegar a ser hombres, pero sólo cuando las vislumbran y aprenden a llevarlas en parte a su conciencia es cuando puede decirse que disponen de ellas...

De este género solían ser nuestras conversaciones. Raras veces me proporcionaba algo totalmente nuevo, algo sorprendente. Todas, sin embargo, hasta la más banal, daban suave pero insistentemente, en el mismo punto; todas me ayudaban a formarme, todas me ayudaban a quitarme una piel, romper el cascarón; y de cada conversación sacaba la cabeza más alta, más libre hasta que mi pájaro amarillo sacó su hermosa cabeza de ave de rapiña del destruido cascarón del mundo. A menudo nos contábamos nuestros sueños, a los que Pistorius sabía dar una interpretación. Ahora recuerdo un caso curioso. Yo había soñado que volaba, pero no por facultad propia, sino lanzado a través de los aires por un violento impulso del que no era dueño. La sensación de este vuelo, deliciosa al principio, no tardaba en trocarse en miedo cuando me veía disparado a alturas vertiginosas. Pero entonces descubría con satisfacción que podía regular la ascensión y el descenso reteniendo y dejando escapar el aliento.

A esto Pistorius dijo:

—El impulso que le hace a usted volar es nuestro patrimonio humano, que todos poseemos. Es el sentimiento de unión con las raíces de toda fuerza. Pero pronto nos asalta el miedo. ¡Es tan peligroso! Por eso la mayoría renuncia gustosamente a volar y prefiere caminar de la mano de los preceptos legales o por la acera. Usted no. Usted sigue volando, como debe ser. Y entonces descubre lo maravilloso; descubre que lentamente se hace dueño de la situación, que a la gran fuerza general que le arrastra corresponde una pequeña fuerza propia, un órgano, un timón. ¡Esto es estupendo! Sin él, uno se perdería sin voluntad por los aires, como hacen los locos. Los locos tienen unas intuiciones más profundas que la gente de la acera, pero no tienen la clave ni el timón y se despeñan en el abismo. Pero usted no, Sinclair; usted logra dominar el impulso. ¿Cómo? Eso quizá no lo sabe usted aún. Lo consigue usted por medio de un órgano nuevo, de un regulador respiratorio. Y ahora puede usted ver qué poco "personal" es su alma y sus estratos más profundos. ¡Semejante regulador no es, ni mucho menos, invención suya! ¡No es nada nuevo! ¡Existe ya hace milenios enteros! Es el órgano del equilibrio de los peces, la vesícula natatoria. Todavía existen hoy unas cuantas especies de peces, extrañas y conservadoras, en las que la vesícula natatoria es al mismo tiempo una especie de pulmón que, en determinadas circunstancias, sirve efectivamente para respirar. Exactamente lo mismo que usted utiliza en su sueño los pulmones para regular su vuelo.

Pistorius incluso me trajo un tomo de zoología y me enseñó el nombre y dibujos de aquellos peces tan primitivos. Con un curioso escalofrío, sentí viva en mí una función de primarias épocas evolutivas.

LA LUCHA
DE JACOB

No me es posible resumir aquí todo lo que el singular organista me reveló sobre Abraxas. Pero, además lo verdaderamente importante que de él aprendí fue a dar un nuevo paso en el camino hacia mí mismo. Por este tiempo de mis dieciocho años era yo un muchacho poco vulgar, precozmente maduro en muchas cosas y retrasado e inerme aún en otras muchas. Cuando me comparaba con los demás, me sentía tantas veces humillado. Unas veces me consideraba un genio, otras un loco. No conseguía compartir las alegrías y la vida de mis compañeros, y me hacía reproches y cábalas como si estuviera irremediablemente separado de ellos y se me negara la vida.

Pistorius, que era un extravagante declarado, me enseñó a tener valor y respeto de mí mismo, y me dio ejemplo, hallando siempre algo valioso en mis palabras y en mis sueños, en mis fantasías y en mis ideas, tomándolo siempre en serio todo ello y discutiéndolo gravemente.

—Ha declarado usted —me dijo un día—, que si le gustaba la música era por su total carencia de moralidad. Está bien. Pero lo que importa es que tampoco usted mismo sea moralista. No tiene usted por qué compararse con los demás, y si la Naturaleza lo ha creado para murciélago, no debe usted aspirar a ser avestruz. A veces se considera raro, se acusa de andar por otros caminos que la mayoría. Eso tiene que olvidarlo. Mire el fuego, observe las nubes; y cuando surjan los presagios y comiencen a hablar las voces de su alma entréguese usted a ellas sin preguntarse primero si le parece bien o le gusta al señor profesor, al señor padre o a un no sé qué buen dios. Así uno estropea, desciende a la acera y se convierte en fósil. Querido Sinclair, nuestro dios se llama Abraxas y es dios y es demonio; entraña en sí el mundo, luminoso y el obscuro. Abraxas no tiene nada que oponer a ninguno de sus pensamientos ni a ninguno de sus sueños. No lo olvide usted. Pero le abandonará en cuanto usted llegue a ser normal e irreprochable. Le abandonará y buscará otra olla en la que cocer sus pensamientos.

El extraño sueño de amor era el más fiel de todos mis sueños. ¡Cuántas veces se repitió! Soñaba que entraba en nuestra vieja casa por el portal, bajo el escudo, y que quería abrazar a mi madre; y que en su lugar encontraba entre mis brazos a una mujer grande, medio hombre, medio madre, que me inspiraba miedo pero hacia la que me sentía ardientemente atraído. Me sentía incapaz de contar este sueño a un amigo. Me lo guardaba, aunque le hubiera revelado todo lo demás. Era mi rincón secreto, mi refugio.

Cuando me sentía triste rogaba a Pistorius que tocase el pasacalle del viejo Bustehude. Sentado en la oscura capilla crepuscular, me perdía en aquella música extraña e íntima, ensimismado y como absorto en sus propios sones, que siempre me hacía bien y me disponía a dar la razón a las voces de mi alma.

A veces nos quedábamos un rato en la iglesia cuando la música del órgano había callado, contemplando cómo la tenue luz entraba y se perdía por las altas ventanas ojivales.

—Ahora me parece raro —dijo Pistorius— que yo fuese en tiempos estudiante de Teología y hasta estuviese a punto de hacerme sacerdote. En realidad, mi error fue puramente formal. Mi vocación es, desde luego, el sacerdocio. Lo que pasó fue que me declaré satisfecho demasiado pronto y me puse a disposición de Jehová antes de conocer a Abraxas. Pero toda religión es bella. Toda religión es alma, lo mismo tomando la comunión cristiana que yendo en peregrinación a la Meca.

—Entonces —opiné yo—, podía usted haber sido sacerdote.

No, Sinclair, no. Hubiera tenido que mentir. Nuestra religión se practica no como si no lo fuera. Simula que es obra de la razón. En último caso hubiera podido ser sacerdote católico; pero protestante, ¡nunca! Los pocos creyentes verdaderos —conozco algunos—, se atienen generalmente a la letra; a ellos no les podría decir, por ejemplo, que Cristo para mí no es un hombre, sino un héroe, un mito, una gigantesca sombra en la que la humanidad se ve proyectada a sí misma contra el muro de la eternidad. Y a los demás, a los que van a la iglesia a oír palabras sensatas, para cumplir un deber, para no perderse algo y por otras razones parecidas, a esos, ¿qué les podría haber dicho? ¿Convertirlos? ¿Usted cree? Pero a mí eso no me interesa. El sacerdote no quiere convertir a nadie; quiere únicamente vivir entre creyentes, entre sus iguales, y quiere ser portador y expresión del sentimiento que forja a nuestros dioses.

Se interrumpió y luego siguió:

—Nuestra nueva fe, aquella para la cual hemos elegido ahora el nombre de Abraxas, es muy bella, querido Sinclair. Es lo mejor que tenemos. Pero está todavía, en mantillas. Aún no le han crecido las alas. Y una religión solitaria no es nada. Tiene que hacerse colectiva; ha de tener culto y adeptos, fiestas y misterios...

Calló y pareció sumirse en honda meditación.

—Pero, ¿acaso no es posible celebrar misterios entre unos cuantos iniciados e incluso uno solo? —pregunté vacilante.

—Se puede —asintió—. Yo los celebro desde hace mucho tiempo. He celebrado cultos que me acarrearían años de cárcel si se descubrieran. Pero sé que esto no es aún el camino verdadero.

De pronto me dio un golpe en el hombro, asustándome.

—También usted, Sinclair, también usted celebra sus misterios. Sé muy bien que debe tener usted sueños de los que nada me cuenta. No quiero saberlos. Pero óigame bien: ¡Vívalos usted, viva usted esos sueños, dedíqueles usted altares! No es aún lo perfecto, pero ya es un camino. El que usted y yo y algunos otros consigamos un día renovar el mundo es cosa que ya se verá. Pero dentro de nosotros mismos tenemos que renovarlo cada día; de otro modo nada lograremos. ¡Píenselo usted, Sinclair! Tiene usted dieciocho años y no corre usted detrás de las prostitutas; tiene usted que tener sueños y deseos amorosos. Y quizá lo asustan a usted. ¡No los tema! ¡Son su mejor patrimonio, créame! Yo he perdido mucho por haberme empeñado en yugular tales sueños, cuando tenía su edad. Eso no debe hacerse. Cuando se conoce a Abraxas, ya no se debe hacer. No hay que temer nada ni creer ilícito nada de lo que nos pide el alma.

Asustado, objeté:

—¡Pero no se puede hacer todo lo que a uno le apetece! ¡No se puede matar a un hombre porque a uno le resulta desagradable!

Se acercó más a mí.

—En determinadas circunstancias se puede hasta eso. Pero la mayoría de las veces se trata de un error. Yo no digo que usted haga todo lo que pase por su mente. No. Pero tampoco debe usted envenenar las ideas, reprimiéndolas y moralizando en torno a ellas, porque tienen un sentido. En lugar de crucificarse a uno mismo o crucificar a otro, podemos beber todos en el mismo cáliz elevando solemnemente nuestro ánimo y pensando en el misterio del sacrificio. También, sin necesidad de tales actos, podemos tratar con amor y tolerancia nuestros instintos, los cuales nos mostrarán entonces su sentido... Cuando otra vez se le ocurra algo verdaderamente insensato y pecaminoso, cuando sienta usted la comezón de matar a alguien o cometer alguna monstruosa obscenidad, piense usted en que es Abraxas quien así fantasea en su interior. El hombre a quien quiere matar nunca es Fulano o Mengano; seguramente es sólo un disfraz. Cuando odiamos a un hombre, odiamos en su imagen algo que se encuentra en nosotros mismos. Lo que no está dentro de nosotros mismos no nos inquieta.

Nunca había dicho Pistorius nada que me llegara tan hondo. No pude contestar nada. Lo que me había impresionado vivamente era la coincidencia de estas palabras con las de Demian, que yo llevaba en mi alma desde hacía años. Los dos no se conocían y los dos me decían lo mismo.

—Las cosas que vemos —continuó Pistorius con voz más apagada—, son las mismas que hay en nosotros. La única realidad es la que nosotros tenemos, y si los hombres viven tan irrealmente es porque aceptan como realidad las imágenes exteriores y ahogan en sí la voz de su mundo interior. También se puede ser feliz así; pero cuando se llega a saber lo otro, se hace ya imposible seguir el camino de la mayoría. El camino de la mayoría es fácil, el nuestro difícil. Caminemos.

Unos días más tarde, después de haberle esperado dos veces en vano, le encontré por la noche en la calle. Apareció por una esquina solo, empujado por el frío viento nocturno, dando traspiés y completamente borracho. No quise hablarle. Pasó junto a mí sin verme, con ojos alucinados y muy solos como si siguiera una llamada misteriosa desde lo desconocido. Le seguí hasta el final de una calle. Pistorius se alejaba, como arrastrado por un hilo invisible con paso fanático y a la vez descoyuntado como un fantasma. Entristecido, volví a casa, a mis sueños sin remedio.

"Así es como él renueva en sí el mundo", pensé; pero en el acto me di cuenta de la bajeza y el prejuicio moral de aquel reproche. ¿Qué sabía yo de sus sueños? En su embriaguez seguía quizá un camino más cierto que yo en mi temeroso escrúpulo.

En los recreos entre las clases había advertido que un compañero al que nunca había hecho mucho caso buscaba mi compañía. Era un chico pequeño de aspecto débil, delgado, con pelo fino y rojizo, que tenía algo especial en su mirada y en su comportamiento. Una tarde, cuando yo volvía a casa, me esperó en la calle, me dejó pasar, corrió detrás de mí, y se quedó parado delante de la puerta de mi casa.

—¿Quieres algo de mí? —le pregunté.

—Sólo hablar contigo un momento —dijo con timidez—. Ten la bondad de acompañarme unos pasos.

Eché a andar con él y lo sentí hondamente agitado y pleno de no sé qué ardiente esperanza. Sus manos temblaban.

—¿Eres espiritista? —preguntó de golpe.

—No, Knauer —dije riendo—. Ni por asomo. ¿Cómo se te ha ocurrido?

—¿Pero eres teósofo, verdad? —Tampoco.

—¡Oh, no te cierres así! Intuyo que en ti hay algo especial. Se te ve en los ojos. Estoy seguro de que tienes trato con los espíritus ¡Y no pregunto por curiosidad, Sinclair! Yo mismo estoy buscando, ¿sabes? ¡y me siento tan solo!

—¡Cuéntame tus cosas! —lo animé—. Desde luego, puedo asegurarte que no sé nada de los espíritus. Pero vivo en mis sueños y tú has sabido adivinarlo. Las demás gentes viven también en sueños pero no en los suyos propios. Ésta es la diferencia.

—Sí, es muy posible —murmuró—. Lo que importa es quizá tan sólo cuáles sean los sueños en los que vivimos... ¿Has oído hablar alguna vez de la magia blanca?

Hube de confesar que no.

—Pues consiste en aprender a dominarse. Así se hace uno inmortal y adquiere poderes mágicos. ¿No has hecho nunca ejercicios de esos?

A mis preguntas interesadas sobre esos ejercicios contestó con evasivas misteriosas, hasta que decidí marcharme. Entonces, empezó a hablar.

—Verás. Cuando, por ejemplo, quiero dormirme o simplemente concentrarme, hago uno de estos ejercicios: pienso en una cosa cualquiera, una palabra, un nombre o una figura geométrica, y me la represento luego, con la mayor intensidad posible, dentro de mí. Intento representármela dentro de la cabeza, hasta que la siento en ella. Luego me la represento en la garganta, y así sucesivamente, hasta que ocupa todo mi ser, comunicándole una firmeza y una seguridad que nada consigue ya perturbar.

Comprendí más o menos lo que quería decir. Pero me daba cuenta de que algo más le inquietaba; estaba extraordinariamente agitado y nervioso. Intenté facilitarle las preguntas y pronto me expuso su verdadero problema.

—Tú eres casto, ¿verdad? —me preguntó temeroso. —¿Qué quieres decir? ¿Te refieres a lo sexual?

—Sí, sí. Yo hace dos años que lo soy, desde que conozco algo de esa magia. Antes me dedicaba a un vicio..., ya sabes. ¿Tú nunca has estado con una mujer?

—No —dije—. Aún no he encontrado la que busco. —Pero si la encontraras y creyeras que era la verdadera, ¿te acostaras con ella?

—Naturalmente... Siempre que ella no se opusiera —agregué con algo de burla.

—Entonces es que no estás en lo cierto, Sinclair. Sólo observando una absoluta continencia podemos desarrollar nuestras energías interiores. Yo vengo ya guardándola hace dos años. ¡Dos años y algo más de un mes! ¡Es tan difícil! A veces se me hace ya casi imposible aguantar más.

—Oye, Knauer, yo no creo que la castidad sea tan importante.

—Ya sé —protestó—, eso es lo, que dicen todos. Pero no lo hubiera esperado de ti. El que quiera andar por el camino superior de la espiritualidad, tiene que mantenerse puro. ¡No cabe duda!

—Está bien. Hazlo tú así, puesto que tal es tu convicción. Por mi parte, no veo por qué un hombre que reprime su sexo ha de parecernos más "puro" que los otros. ¿O acaso has conseguido excluir también lo sexual de tus pensamientos y tus sueños?

Me miró con desesperación.

—No, Sinclair, no. Y, sin embargo, no hay otro camino. Por las noches sueño cosas que ni a mí mismo me atreverá a decir. ¡Sueños terribles, Sinclair!

Recordé lo que Pistorius me había dicho sobre los sueños más secretos. Pero, aunque sentía la exactitud de sus palabras, me era imposible transmitirlas a Knauer. No podía darle un consejo que no provenía de mi propia experiencia y que yo mismo no me sentía capaz de seguir. Guardé, pues, silencio, sintiéndome humillado al no poder dar consejo a alguien que de mí lo buscaba.

—¡Lo he intentado todo! —lloriqueaba Knauer junto a mí—. He hecho todo lo que se puede hacer, con agua fría, con nieve, con gimnasia, con carreras. Pero no sirve de nada. Todas las noches me despierto sobresaltado por sueños en los que no debo pensar. Y lo peor es que lentamente voy perdiendo todo lo que he aprendido intelectualmente. Ya casi no consigo concentrarme o dominarme; a veces me paso la noche entera en vela. No voy a poder aguantarlo mucho tiempo. Si al final no puedo luchar, si cedo y me ensucio otra vez, voy a ser más miserable que los que nunca han luchado siquiera. Lo comprendes, ¿verdad?

Asentí, pero me fue imposible decir nada. Advertía que Knauer comenzaba a aburrirme y me asustaba de mí mismo al comprobar que su miseria y su desesperación, tan visibles, no me producían impresión más honda. Sólo asentía que yo no podía ayudarle.

—¿Pero, de verdad, no puedes decirme nada? —preguntó, al fin, entristecido y agotado—. ¿Nada absolutamente? ¡Tiene que haber algún camino! ¿Qué haces tú?

—Nada puedo decirte, Knauer. En esta cuestión no es posible ayudarse mutuamente. Tampoco a mí me ha ayudado nadie. Tienes que reflexionar sobre ti mismo y hacer luego lo que verdaderamente surja de tu propia esencia. No hay otro camino. Si tú mismo no puedes encontrarte, tampoco encontrarás espíritus ningunos que te sepan guiar. Créeme.

El pobre chico me miró desilusionado y súbitamente mudo. Luego su mirada refulgió con repentino odio, me hizo una mueca y gritó:

—¡Ah, menudo hipócrita estás tú hecho! ¡También tú tienes tu vicio, ya lo sé! Te haces el sabio y en secreto estás en la misma basura que yo y que todos. ¡Eres un cerdo! ¡Un cerdo como yo! ¡Todos somos cerdos!

Eché a andar y le dejé. Me siguió aún dos o tres pasos, luego se quedó atrás, se volvió y se alejó corriendo. Me invadió un sentimiento mezcla de compasión y asco y no me pude librar de él hasta que llegué a casa y pude rodearme en mi cuarto de mis dibujos, entregándome con ardiente fervor a mis propios sueños. Enseguida surgió el del portal y el escudo, el de mi madre y el de la mujer desconocida; y vi tan claros los rasgos de la mujer que comencé a dibujar su retrato aquella misma noche.

Cuando a los pocos días estuvo terminado, lo colgué al anochecer en la pared de mi cuarto, puse la lámpara delante y me quedé delante de él como ante un espíritu con el que tenía que luchar hasta conseguir una solución definitiva. Era un rostro parecido a Demian, y en algunos rasgos parecido a mí. Uno de los ojos estaba más alto que el otro; su mirada flotaba sobre mí con fijeza pensativa, llena de fatalidad.

No sé cuánto tiempo permanecí allí, inmóvil ante el dibujo. El enorme esfuerzo interior iba helando mi pecho. Interrogué a aquella imagen y la acusé, la acaricié y le recé de rodillas; le dije madre y le dije amor, le llamé prostituta y perdida, la nombré Abraxas. Entre tanto, iban surgiendo en mí las palabras de Pistorius —¿o quizá de Demian? —; no podía recordar cuándo habían sido dichas, pero creía oírlas de nuevo. Eran palabras de la lucha de Jacob con el ángel: "No te dejaré hasta que me hayas bendecido."

El rostro, iluminado por la lámpara, se transformaba a cada invocación. Se volvía luminoso y claro, y luego oscuro y negro; cerraba los párpados pálidos sobre los ojos muertos y los volvía a abrir lanzando miradas ardientes. Era mujer, hombre, muchacha; era un niño pequeño, un animal, se disolvía en una mancha, volvía a crecer y a aclararse. Por fin cerré los ojos, impulsado por una poderosa voz interior; y entonces vi el retrato dentro de mí, más grandioso y más potente. Quise arrodillarme delante de él; pero estaba tan dentro de mí que no pude separarlo de mí mismo, como si se hubiera asimilado por completo a mi yo.

En este punto comencé a oír un oscuro grave bramido, como de una tormenta de primavera, y rompí a temblar invadido por una nueva sensación indescriptible de angustia y temerosa espera. Fúlgidas estrellas se incendiaron y extinguieron a mi vista y una densa cohorte de recuerdos lejanos, hasta de mi primera y más olvidada infancia, incluso de existencias anteriores y estadios primitivos de la evolución desfiló rápidamente ante mí. Pero mis recuerdos, que parecían repetir toda mi vida hasta lo más intimo, no acababan ni ayer ni hoy; seguían reflejando un futuro, me arrancaban del día presente hacia nuevas formas de vida cuyas imágenes eran terriblemente claras y cegadoras pero de las que no pude recordar ninguna.

Muy avanzada ya la noche, desperté de un profundo sueño. No me había desnudado y yacía de través sobre la cama. De pronto sentí que debía recordar algo importante, pero nada sabía ya de las horas inmediatas. Al encender la luz aparecieron lentamente los recuerdos. Busqué el retrato, pero ya no estaba en la pared ni tampoco sobre la mesa. Entonces me pareció recordar que lo había quemado. ¿O había soñado que lo había quemado con mis propias manos y me había comido luego las cenizas?

Una intensa inquietud convulsa se apoderó de mí. Poseído por un irrefrenable impulso, me puse el sombrero, salí de la habitación y de la casa, recorrí calles y plazas, como arrastrado por la tempestad; espié el silencio delante de la capilla de mi amigo, sumida en las tinieblas; busqué y rebusqué de un lado a otro, llevado por un oscuro instinto. Atravesé un arrabal sembrado de prostíbulos, en cuyas ventanas se veía aún luz. Más allá se alzaban algunas casas en construcción, entre montones de ladrillos cubiertos a trozos de nieve sucia y gris. Errando como un sonámbulo por aquel desierto, me acordé de la casa en construcción de mi ciudad natal a la que Kromer, mi verdugo, me había arrastrado para ajustar cuentas por primera vez. En la noche gris se levantaba ante mis ojos una casa en construcción parecida a aquella, esperándome con su negro portal. Una fuerza me obligaba a entrar; quise alejarme, tropezando con la arena y los escombros, pero la fuerza era irresistible; tuve que entrar.

Pisando tablas y pedazos de ladrillo, penetré en la construcción. Los muros exhalaban un turbio olor a frialdad húmeda y a piedra. Un montón de arena, clara mancha de gris, resaltaba cerca. Todo lo demás se perdía en la oscuridad. De pronto me llamó una voz espantada:

—¡Sinclair! ¡Por Dios! ¿De dónde sales?

Junto a mí emergió de la oscuridad una silueta humana, un chico pequeño y delgado como un fantasma y con cabellos erizados. Reconocí que era mi compañero Knauer.

—¿Cómo has llegado hasta aquí? —interrogó enloquecido—. ¿Cómo has podido encontrarme?

No comprendí lo que quería decir.

—No te he buscado —dije aturdido; cada palabra me costaba esfuerzo y salía trabajosamente entre mis labios torpes y helados.

Me miró atónito.

—¿No me buscabas?

—No. Algo me atraía hacia aquí. ¿Me has llamado tú? Tienes que haberme llamado. ¿Qué haces aquí? Es noche cerrada.

Me rodeó desesperadamente con sus brazos delgados.

—Sí, es de noche. Pronto amanecerá. ¡Oh, Sinclair, tú no me has olvidado! ¿Podrás perdonarme? —¿Perdonarte qué?

—¡Estuve tan injusto contigo! Sólo entonces recordé nuestra conversación. ¿Cuántos días habían pasado desde ella? ¿Tres? ¿Acaso cinco? Me daba la impresión de que había transcurrido una eternidad. De pronto me di cuenta de todo. No sólo de lo ocurrido entre nosotros, sino también de por qué había venido yo a aquel lugar y de lo que Knauer había querido hacer.

—¿Querías quitarte la vida?

Se estremeció de frío y de miedo.

—Sí. No sé si habría podido hacerlo. Había decidido esperar a que amaneciera.

Le conduje afuera. Los primeros rayos de luz de la mañana, horizontales y fríos, brillaban mortecinos en el aire gris.

Le llevé un trecho cogido del brazo.

—Vuelve ahora a tu casa y no le cuentes nada a nadie. Has perdido el camino, Knauer, y has andado extraviado y sin norte. No somos tampoco unos puercos, como tú crees. Somos hombres. Creamos dioses y luchamos con ellos, y ellos nos bendicen.

Seguimos caminando en silencio y nos separamos. Cuando llegué a casa era de día.

Lo mejor que me ofreció aquel tiempo en St. fueron las horas que pasé con Pistorius junto al órgano o frente al fuego de la chimenea. Leímos juntos un texto griego sobre Abraxas; él me leyó unos fragmentos de una traducción de los Vedas y me enseñó a recitar la sagrada "Om". Pero lo que propulsaba mi evolución interior no era esta ocupación erudita, sino algo totalmente contrario. Lo que verdaderamente me hacía bien era el progreso de mi conocimiento de mí mismo, mi confianza creciente en mis propios sueños, ideas e intuiciones; la revelación, cada día más clara, del poder que en mí mismo llevaba.

Con Pistorius me entendía en todos los sentidos. No necesitaba más que pensar intensamente en él para que apareciera o me llegara un saludo suyo. Podía preguntarle cualquier cosa como a Demian, sin necesidad de que estuviera delante, no necesitaba más que imaginármelo y dirigirle mis preguntas en forma de intensos pensamientos. Toda la fuerza psíquica puesta así, en la interrogación retornaba enseguida a mí hecha respuesta. Pero en estos casos no era la persona misma de Pistorius la que yo me representaba, ni tampoco la de Max Demian, sino aquella otra por mí soñada y dibujada, la imagen onírica medio masculina y medio femenina de mi demonio familiar. Ahora no vivía ya solamente en mis sueños y sobre el papel, sino en mí como una imagen ideal, como potenciación de mí mismo.

Mis relaciones con Knauer, el suicida frustrado, tomaron un matiz curioso y a veces casi cómico. Desde la noche en que yo le había sido enviado, se había agregado a mí como un criado fiel o como un perro; intentaba enlazar su vida a la mía y me seguía ciegamente. Llegaba a mí con extraños deseos y preguntas, quería ver espíritus, quería aprender la cábala, y no me creía cuando yo le aseguraba que no entendía una palabra de tales cosas. Me creía capaz de todo. Era curioso que muchas veces viniera con sus preguntas tontas y raras precisamente cuando yo mismo tenía algún problema que resolver, y que sus caprichosas ocurrencias y preocupaciones me dieran a menudo la clave y el impulso para solucionar las mías. En ocasiones se me hacía molesto y le mandaba autoritariamente que se fuera; pero no dejaba de advertir que también él me era enviado, que también de él refluía a mí, duplicado, todo lo que yo le daba; que también él era un guía, o, por lo menos, un camino. Los libros y escritos absurdos que me traía y en los que él buscaba su salvación me enseñaron mucho más de lo que al principio pude suponer.

Más adelante Knauer desapareció de mi vida sin pena ni gloria. Con él no hubo necesidad de explicaciones; pero con Pistorius sí. Con Pistorius me sucedió algo muy extraño al final de mi época de colegio, en St.

Todo hombre, por bondadoso que sea, tiene que vulnerar una o varias veces en su vida las bellas virtudes de la piedad filial y la gratitud. Tiene que dar alguna vez el paso que le desliga de sus padres y de sus maestros y sentir algo de la dureza de la soledad, aunque en su mayoría no puedan soportarla mucho tiempo y vuelvan de pronto a someterse. De mis padres y de su mundo, el mundo "claro" de mi niñez, me había separado sin lucha, lenta y casi imperceptiblemente me había alejado de ellos. Aquello me dolía, y durante las visitas a casa me amargaba las horas; sin embargo, no llegaba hasta el corazón: se podía soportar.

Muy distinto es cuando nuestra veneración y nuestro cariño son ajenos a todo hábito y corresponden a una pura inclinación personal, cuando de todo corazón hemos sido el amigo o el discípulo. En estos casos es un instante amargo y terrible aquel en el que vislumbramos de repente que la corriente dominante en nosotros quiere apartarnos de la persona querida. Cada uno de los pensamientos que rechazan al amigo o al maestro se vuelve entonces, con aguijón envenenado, contra nuestro propio corazón y cada uno de los golpes que asestamos nos hiere, de retorno, en el rostro. A quien creía actuar según una moral válida, se le aparecen las palabras "infidelidad" e "ingratitud" como vergonzosos reproches y estigmas; el corazón aterrado huye temeroso a refugiarse en los amados valles de las virtudes infantiles. Me costaba trabajo comprender que también esta ruptura ha de ser llevada a cabo, que también hay que cortar este lazo.

Poco a poco había ido naciendo en mí un sentimiento opuesto a seguir aceptando tan incondicionalmente a mi amigo Pistorius como guía. Durante los meses más importantes de mi adolescencia, toda mi vida había girado en torno de su amistad, su consejo, su consuelo y su presencia habían sido lo mejor que yo había tenido.

A través de él, Dios me había dado el valor de aceptarme a mí mismo. De su boca habían salido mis sueños clarificados e interpretados. Y ahora sentía una creciente resistencia contra Pistorius. Creí oír demasiadas enseñanzas en sus palabras, y sentí que captaba solamente una parte de mi ser.

Entre nosotros no hubo disputa ni escena ninguna, no hubo ruptura, ni siquiera un ajuste de cuentas. No hubo más que una sola palabra mía, inofensiva en sí, pero que señaló el momento en que una ilusión se rompió entre nosotros en irisados pedazos.

El presentimiento de que esto sucedería me venía obsesionando desde hacía tiempo, y se transformó en certidumbre un domingo en su vieja habitación de sabio. Estábamos tumbados en el suelo frente al fuego; él hablaba sobre los misterios y formas de religión que estudiaba y en los que meditaba y cuyo posible futuro le preocupaba. Mas para mí, todo aquello era más curioso e interesante que realmente vital; me sonaba a erudición, a fatigada rebusca bajo las ruinas de mundos pasados, y, de repente, sentía una gran repugnancia contra toda esta actitud espiritual, contra este culto a las mitologías y este mosaico de viejas doctrinas religiosas.

—Pistorius —dije súbitamente, con una explosión de maldad que a mí mismo me asustó y sorprendió—, debiera usted contarme algún sueño, un sueño verdadero, que haya tenido por la noche. Sabe, eso que me está contando es... ¡tan arqueológico!

Nunca me había oído mi amigo hablar así, y yo mismo advertí en el acto, con sobresalto y vergüenza, que la flecha que le disparaba, hiriéndole en el corazón la había tomado de su propia aljaba, pues dirigía ahora contra él, malignamente aguzado, un reproche que le había oído hacerse a sí mismo en tono irónico.

Pistorius se percató de mi intención inmediatamente y se quedó callado. Le observé con el corazón en un puño y vi cómo se ponía profundamente pálido.

Después de un largo silencio, colocó un leño en el fuego y dijo muy tranquilo:

—Tiene usted razón, Sinclair. Es usted un muchacho muy inteligente. No volveré a importunarle con mis arqueologías.

Hablaba muy serenamente, pero yo advertí en su acento el dolor de la herida. ¿Qué había hecho yo?

Estuve a punto de echarme a llorar, quise volverme hacia él con cariño, pedirle perdón, confirmarle mi amistad, mi profunda gratitud. Me acudieron a la mente palabras llenas de emoción; pero no pude pronunciarlas. Me quedé tumbado mirando el fuego y callado. Él tampoco habló. Y así permanecimos los dos, mientras el fuego se consumía y se desmoronaba; y con cada llama que se extinguía sentí que algo hermoso y profundo que nunca más volvería se apagaba y volatilizaba.

—Temo que me haya usted comprendido mal —dije, por último, entre dientes, con voz seca y ronca.

Estas estúpidas palabras sin sentido salieron automáticamente de mis labios, como si estuviese leyendo el folletín de un periódico.

—Lo comprendo —murmuró Pistorius—. Es usted quien tiene razón.

Se interrumpió y luego siguió lentamente. En la medida que un hombre puede tener razón contra otro hombre.

"¡No, no! —clamaba algo en mí—, no tengo razón." Pero no pude decir nada. Sabía haberle señalado con aquella sola palabra una debilidad esencial, su miseria y su llaga. Había tocado el punto en el cual tenía él que desconfiar de sí mismo. Su ideal era "arqueológico" y él buscaba con la mirada vuelta hacia atrás. Era un romántico. De repente vi con toda claridad; precisamente aquello que Pistorius había sido para mí no podía serlo para él mismo, ni darse a sí mismo lo que a mí me había dado. Me había conducido por un camino que también él, el guía, debía traspasar y abandonar.

¡Quién puede saber cómo nace una palabra tal! Yo la había dicho sin mala intención y sin tener la menor idea de la catástrofe que iba a provocar. Había dicho algo cuyo alcance ignoraba, que no conocía en el momento de expresarle; había cedido a una pequeña ocurrencia, un poco maliciosa; y ésta se había convertido en fatalidad. Había cometido una pequeña y desconsiderada grosería que se había convertido para él en una sentencia.

¡Cómo desee por entonces que Pistorius se hubiera encolerizado, que se hubiera defendido y me hubiese colmado de reproches! Pero no hizo nada semejante. Todo ello hube de hacerlo yo por mí mismo, dentro de mí. Si le hubiese sido posible, hubiese sonreído. No pudo, y ello me dio la medida de cuánto lo había herido.

Pistorius, al recibir en silencio el golpe que yo, su indiscreto e ingrato discípulo, le asestaba, al darme la razón y reconocer mis palabras como su destino, me obligó a odiarme a mí mismo, al mismo tiempo que centuplicaba las proporciones de mi imprudencia. Al descargar el golpe había creído dar a un hombre fuerte y alerta; pero se trataba de un hombre callado y paciente, indefenso, que se rendía en silencio.

Largo rato permanecimos aún ante el fuego, en el cual cada ardiente figura y cada brasa me recordaban horas felices, bellas y plenas y acrecían mi deuda de gratitud para con Pistorius. Al cabo no pude resistir más. Me levanté y salí. A la puerta de la habitación, en la escalera oscura, y luego, ya en la calle, ante la casa, me detuve una y otra vez largo rato, con la esperanza de verlo acudir aún en busca mía. Luego seguí adelante y anduve horas y horas a través de la ciudad y de los suburbios, a través del parque y del bosque, hasta la noche. Por vez primera sentí la señal de Caín sobre mi frente.

Lentamente comencé a reflexionar. Mis pensamientos empezaban acusándome y defendiendo a Pistorius; pero acababan siempre en lo contrario. Mil veces estuve a punto de arrepentirme y retirar mis precipitadas palabras; pero éstas habían sido verdad. Entonces conseguí comprender a Pistorius y reconstruir ante mis ojos su sueño; el de ser sacerdote, predicar la nueva religión, instaurar nuevas formas de fervor, de amor y adoración, crear nuevos mitos. Pero esto no era su fuerza ni su misión. Le gustaba demasiado permanecer en el pasado; conocía demasiado bien el pretérito, sabía demasiadas cosas de Egipto, India, Mitra y Abraxas. Su amor se enlazaba en imágenes que la Tierra había visto ya, y al mismo tiempo se daba, en su interior, cuenta perfecta de que lo nuevo había de ser nuevo y distinto y manar de un suelo virgen, en lugar de ser extraído trabajosamente de los museos y las bibliotecas. Su misión era quizá ayudar a otros hombres a llegar a sí mismos, como había hecho conmigo. Pero no darles lo inaudito, los nuevos dioses. En estos momentos tuve una certeza fulminante: cada uno tenía una "misión", pero ésta no podía ser elegida, definida, administrada a voluntad. Era un error desear nuevos dioses, y completamente falso querer dar algo al mundo. No existía ningún deber, ninguno, para un hombre consciente, excepto el de buscarse a sí mismo, afirmarse en su interior, tantear un camino hacia adelante sin preocuparse de la meta a que pudiera conducir. Aquel descubrimiento me conmovió profundamente; éste fue el fruto de aquella experiencia. Yo había jugado a menudo con imágenes del futuro y soñado con papeles que me pudieran estar destinados, de poeta quizá, de profeta, de pintor o de cualquier otra cosa. Aquellas imágenes no valían nada. Yo no estaba en el mundo para escribir, predicar o pintar; ni yo ni nadie estábamos para eso. Tales cosas sólo podían surgir marginalmente. La misión verdadera de cada uno era llegar a sí mismo. Se podía llegar a poeta o a loco, profeta o a criminal, eso no era asunto de uno: a fin de cuentas, carecía de toda importancia. Lo que importaba era encontrar su propio destino, no un destino cualquiera, y vivirlo por completo. Todo lo demás eran medianías, un intento de evasión, de buscar refugio en el ideal de la mesa; era amoldarse; era miedo ante la propia individualidad. La nueva imagen surgió terrible y sagrada ante mis ojos, presentida múltiples veces, quizá pronunciada ya otras tantas, pero nunca vivida hasta ahora. Yo era un proyecto de la naturaleza, un proyecto hacia lo desconocido, quizá hacia lo nuevo, quizá hacia la nada; y mi proyecto que brotaba de las profundidades, sentir en mí su voluntad e identificarme con él por completo.

Ya había probado a fondo la soledad. Pero ahora presentía una soledad aún más profunda, y la presentía inevitable.

No hice tentativa alguna de reconciliarme con Pistorius. Seguimos siendo amigos, pero nuestra relación sufrió un profundo cambio. Una única vez hablamos de estas cosas, o mejor dicho, habló sólo él. Me dijo:

—Mi deseo es ser sacerdote, ya lo sabe usted. Sobre todo, hubiera querido ser el sacerdote de la nueva religión que vislumbramos. Pero sé muy bien que no podré serlo jamás. Lo sabía, sin confesármelo abiertamente, hace ya mucho tiempo. Habré de limitarme a ejercer otras funciones sacerdotales de menor alcance, quizá sólo ante el órgano, quizá en otra forma cualquiera. Pero he de tener siempre en torno a mí algo que yo sienta bello y santo, música de órgano y misterio, símbolo y mito. Necesito vivir en este ambiente y no quiero apartarme de él. Ésta es mi debilidad, Sinclair, pues a veces me doy clara cuenta de que no debía sentir tales deseos, que son un lujo y una flaqueza. Sería más justo y más grande si me ofreciera al destino sin ambiciones. Pero soy incapaz; es lo único que no puedo hacer. Quizá usted pueda hacerlo un día. Es muy difícil; es lo único verdaderamente difícil que existe, muchacho. He soñado muchas veces con ello, pero no puedo, me da miedo; no puedo existir tan desnudo y solo; también soy un pobre perro débil que necesita un poco de calor y de sus semejantes. El que no tiene ningún deseo excepto su destino, ése no tiene ya semejantes, está solo en medio del universo frío que lo rodea. ¿Comprende usted? Como Jesús en Getsemaní. Ha habido mártires que se han dejado crucificar a gusto; pero tampoco ellos eran héroes, no estaban liberados; también ellos deseaban algo que les resultara amable y familiar, y tenían modelos e ideales. Quien desee solamente cumplir su destino, no tiene modelo ni ideales, nada querido y consolador. Éste es el camino que yo habría de seguir. La gente como usted y como yo, está muy sola; pero, al fin y al cabo, nosotros tenemos nuestra amistad, tenemos la satisfacción secreta de rebelarnos, de desear lo extraordinario. También hay que renunciar a eso cuando se quiere seguir, el camino consecuentemente. Tampoco se puede querer ser revolucionario, ni mártir, ni dar ejemplo. Sería inconcebible.

No, no podía concebirse. Pero podía soñarlo, podía presentirlo, podía intuirlo. Algunas veces, cuando lograba una hora de plena serenidad espiritual, llegaba a vislumbrarlo. Hundía entonces la mirada en mí mismo y clavaba mis ojos en los de mi destino. Lo que en ellos se reflejase, sabiduría o locura, amor o maldad, no importaba. Nada de ello se debía escoger o querer. No podemos aspirar sino a nosotros mismos, a nuestro propio destino. Pistorius había sido mi guía en este camino.

En aquellos días anduve como loco, con la tempestad desatada en mi interior; cada paso significaba un peligro; no veía nada más que la oscuridad abismal que se abría ante mis ojos y a la que conducían, perdiéndose en ella, todos los caminos que había conocido hasta entonces. En mi mente vislumbraba la imagen de un guía que se parecía a Demian y en cuyos ojos estaba escrito mi destino. Escribí sobre un papel: "Mi guía me ha abandonado. Estoy en plena oscuridad. No puedo andar solo. ¡Ayúdame!"

Quería enviárselo a Demian. No lo hice. Siempre que me disponía a hacerlo encontraba necia e incoherente mi petición de auxilio. Pero aprendí de memoria la pequeña oración y la recitaba a menudo en mi interior. Me acompañaba a todas horas. Comencé a vislumbrar lo que era la oración.

La época escolar tocaba a su fin. Mi padre había planeado que hiciera un viaje de vacaciones antes de mandarme a la Universidad. A qué Facultad, no lo sabía aún. Decidieron que estudiara un semestre de filosofía. Hubiera estado también de acuerdo con cualquier otro estudio.

7 EVA

En las vacaciones fui una vez a la casa donde Max Demian había vivido con su madre años atrás. Una anciana paseaba por el jardín. Me dirigí a ella y averigüé que la finca era de su propiedad. Se acordaba muy bien de la familia Demian, pero no sabía cuál era su residencia actual. Advirtiendo mi interés, me hizo entrar con ella a la casa. Tomó un álbum encuadernado en piel y me enseñó la fotografía de la madre de Demian. Yo la recordaba ya apenas. Pero cuando vi aquel retrato sentí que el corazón cesaba de latir en mi pecho. ¡Era la imagen de mi sueño! Era ella, la gran silueta de mujer, un poco masculina, parecida a su hijo, con rasgos maternales, rasgos de sinceridad, rasgos de profunda pasión; bella y atractiva, bella e inasequible, demonio y madre, destino y amada. ¡Era ella!

Me sentí traspasado por un asombro salvaje, al descubrir que mi imagen soñada vivía sobre la tierra. ¡Aquella mujer que llevaba los rasgos de mi destino existía! ¿Dónde estaba? ¿Dónde? Era la madre de Demian.

Pocos días después inicié mi viaje. ¡Viaje singular! Pasé sin descanso de un sitio a otro, siguiendo la inspiración del momento, siempre a la busca de aquella mujer. Había días en que me encontraba una y otra vez figuras que la recordaban, que se le parecían y que me arrastraban tras de sí por las calles de una ciudad desconocida o, en el tren, de estación en estación, como en un sueño enmarañado. Había otros días en los que comprendía cuán vana era aquella rebusca, y entonces permanecía inactivo horas y horas en un parque, en el jardín de un hotel, o en una sala de espera, abstraído e intentando dar vida dentro de mí a la imagen amada. Pero ésta se había hecho ya huidiza y borrosa. Por las noches me era imposible conciliar el sueño, y sólo en el tren dormitaba algunos ratos a través del paisaje desconocido. Una vez, en Zurich, una mujer muy linda y un poco descarada trató de entablar relación conmigo. Sin mirarla apenas, seguí mi camino, como si no existiese. Hubiera preferido morir antes que mostrar interés a otra mujer, aunque sólo fuera por una hora.

Yo notaba que mi destino tiraba de mí, sentía que la consumación estaba ya próxima y me enloquecía de impaciencia viendo que no podía precipitarla. Una vez en una estación —creo que fue en Innsbruck—, vi por la ventanilla de un tren que salía, una figura que me recordó a ella y durante varios días me sentí profundamente desdichado. Otro día volvió a aparecer la imagen en un sueño; desperté con una sensación de vergüenza y vacío ante la insensatez de mi búsqueda y volví directamente a casa.

Quince días después me matriculé en la Universidad de H. Todo en ella me defraudó. El curso de Historia de la Filosofía, al que empecé a asistir, era tan trivial y tan vulgar como las actividades de los jóvenes estudiantes. Todo seguía un patrón fijo; todo el mundo hacía las mismas cosas, y la acalorada alegría de los rostros juveniles tenía una expresión lamentablemente vacía e impersonal. Por mi parte, gozaba de mi libertad: vivía tranquila y ordenadamente en una casita empotrada en las viejas murallas de la ciudad, y tenía encima de mi mesa un par de volúmenes de Nietzsche. Vivía con él, sentía la soledad de su alma, vislumbraba el destino que le empujaba sin tregua, sufría con él y me sentía dichoso sabiendo de alguien que había seguido inexorablemente su camino.

Una noche paseaba yo por la ciudad barrida por el viento otoñal, escuchando cantar a los estudiantes en las tabernas. Por las ventanas abiertas salía en densas nubes el humo del tabaco, así como canciones ruidosas y rítmicas pero desangeladas y uniformes.

Parado en una esquina, escuchaba; en dos tabernas resonaban en la noche a un tiempo la alegría ensayada de la juventud. En todas partes dominaba la comunidad, el instinto gregario, la repulsa del destino y el refugio en el hacinamiento del rebaño.

Dos individuos que caminaban detrás de mí me adelantaron lentamente. Parte de su conversación llegó a mis oídos.

—¿Verdad que es igual que la cabaña de adolescentes en un pueblo de negros?; y todo igual, hasta los tatuajes, siguen de moda. ¿Ve usted?, esto es la joven Europa.

La voz me sonó conocida y como una singular advertencia. Seguí a los dos hombres por la calle oscura. Uno de ellos era japonés; pequeño y elegante. A la luz de la farola pude ver el brillo de su cara amarilla y sonriente. Volvió a hablar el otro:

—Aunque supongo que también entre ustedes, en el Japón, pasará lo mismo. En todas partes son muy pocos los individuos que no siguen el rebaño. También aquí hay algunos.

Cada una de estas palabras me traspasó con gozoso estremecimiento. Reconocí al que las pronunciaba. Era Demian.

En el viento de la noche les seguí por las callejas oscuras, escuchando sus conversaciones y disfrutando del sonido de la voz de Demian. Tenía el antiguo sonido, la antigua y hermosa seguridad, la misma tranquilidad; seguía teniendo poder sobre mí. Ahora todo marchaba bien. Le había encontrado.

Al final de una calle se despidió del japonés y abrió la puerta de una casa. Demian volvió sobre sus pasos. Yo me había detenido y lo esperaba en el centro de la calle. Con el corazón palpitante, lo vi venir hacia mí, erguido y elástico. Vestía un impermeable oscuro y llevaba un bastoncillo colgado del antebrazo. Sin alterar su paso regular, llegó junto a mí, se quitó el sombrero y me mostró su antiguo rostro claro, con la boca resuelta en un singular reflejo luminoso sobre la ancha frente.

—¡Demian! —exclamé.

Me tendió la mano.

—¡Por fin, Sinclair! ¡Te esperaba!

—¿Sabías que estaba aquí?

—No, no lo sabía exactamente, pero te esperaba con toda seguridad. Hasta esta noche no te he visto; nos has venido siguiendo todo el tiempo.

—Entonces, ¿me has reconocido inmediatamente?

—Naturalmente has cambiado, pero llevas la señal.

—¿La señal? ¿Qué señal?

—Antes la llamábamos la señal de Caín. ¿No te acuerdas? Es la señal. La has tenido siempre y por eso me hice amigo tuyo. Pero ahora se ha hecho más visible.

—No lo sabía. O en realidad, sí. Una vez pinté un retrato tuyo, Demian, y me quedé asombrado al advertir que también se parecía a mí. Un efecto de la señal, sin duda.

—Desde luego. No sabes cuánto me alegra haberte encontrado de nuevo. También mi madre se alegrará.

Me sentí sobrecogido.

—¿Tu madre? —Está aquí? Pero tu madre no me conoce.

—No importa. Sabe mucho de ti. Te reconocerá sin que yo tenga que decirle quién eres... Nos has tenido mucho tiempo sin noticias tuyas.

—He querido escribirte varias veces, pero no podía. Últimamente sentí ya que no tardaría en encontrarte. Todos los días lo esperaba.

Me cogió del brazo y echó a andar a mi lado. La tranquilidad que emanaba de su persona fue inundándome lentamente. Empezamos a charlar como antes. Recordamos la época del colegio, las clases de religión, y también aquel encuentro aciago durante las vacaciones; pero tampoco en esta ocasión hablamos del lazo más antiguo y estrecho que existía entre nosotros: la aventura con Franz Kromer.

Sin darnos cuenta nos encontramos en medio de un diálogo, extraño y lleno de presagios. Siguiendo la conversación de Demian con el japonés, hablamos de la vida estudiantil, de este tema pasamos a otro que parecía muy lejano. Sin embargo, en las palabras de Demian se fundían ambos íntimamente.

Habló del espíritu de Europa y del signo de nuestra época. Por todas partes —dijo—, se extienden el grupo y la manada, por ningún lado la libertad y el amor. El espíritu de corporación, desde las asociaciones estudiantiles y los coros hasta las naciones, no es más que un producto de la necesidad. Es una solidaridad por miedo, temor y falta de imaginación; en su fondo está carcomida y vieja, a punto de desintegrarse.

—La comunidad —continuó diciendo—, es algo muy bello. Pero lo que ahora vemos florecer por todas partes no es la comunidad verdadera. Ésta surgirá, nueva, del conocimiento mutuo de los individuos y transformará por algún tiempo el mundo. Lo que hoy existe no es comunidad; es, simplemente, rebaño. Los hombres se unen porque tienen miedo unos de otros, y cada uno se refugia entre los suyos, los señores, en su rebaño, los obreros, en el suyo; los intelectuales en otro... ¿Y por qué tienen miedo? Se tiene miedo cuando no se está de acuerdo consigo mismo. Tienen miedo porque no se han atrevido jamás a seguir sus propios impulsos interiores. Una comunidad formada por individuos temerosos todos de lo desconocido que en sí mismo llevan. Todos ellos sienten que las leyes a las que ajustan su vida han precipitado ya, que viven conforme a mandamientos anticuados y que ni sus religiones ni su moral son ya las que necesitamos. Durante cien años y más, Europa no ha hecho más que estudiar y construir fábricas. Todos saben con exactitud cuántos gramos de pólvora se necesitan para matar a un hombre; pero no saben cómo rezar a Dios, no saben siquiera cómo se pasa un rato divertido ¡Mira las tabernas de los estudiantes! O un lugar de diversión donde se reúne gente rica. ¡Desesperante! Querido Sinclair, de esto no puede salir nada alegre. Los hombres que se apiñan acobardados están llenos del miedo y de maldad; ninguno se fía del otro. Son fieles a unos ideales que han dejado de serlo y apedrean todo el que crea otros nuevos. Presiento graves conflictos. Vendrán, créeme, vendrán pronto. Naturalmente, no "mejoran" el mundo. Que los obreros maten a los empresarios o que Rusia o Alemania disparen una sobre otra, nada altera la situación, sólo cambian los dueños. Pero tampoco serán completamente inútiles. Revelarán la miseria de los ideales actuales y obligarán a derrocar toda una serie de dioses de la edad de piedra. Este mundo, tal y como es, quiere morir, quiere hundirse y se hundirá.

—Y, ¿qué será de nosotros en todo ello? Pregunté.

—¿Nosotros? ¡Oh! Quizás sucumbamos con él. También nos pueden matar. Sólo que con esto no acabarán con nosotros. En torno a lo que quede de nosotros, o en torno a los que sobrevivan entre nosotros, se agrupará la voluntad del futuro.

Y se mostrará la voluntad de la humanidad, que nuestra Europa ahogó con su feria de técnicos y ciencia. Entonces se demostrará que la voluntad de la humanidad no se identifica nunca, en ningún lado, con las sociedades culturales, los estados, las naciones, las asociaciones y las iglesias. Se verá que lo que la naturaleza quiere con el hombre está grabado en el individuo, está grabado en ti y en mí. Lo estaba ya en Jesús y lo estaba en Nietzsche. Cuando las colectividades actuales se derrumben quedará sitio para todas esas corrientes, que naturalmente, pueden cambiar de aspecto cada día, pero son siempre las únicas importantes.

Llegamos ya muy tarde a un jardín junto al río.

—Vivimos aquí —dijo Demian—; ve pronto a vernos. Te esperamos.

Feliz emprendí mi largo camino a casa en la noche fresca. Aquí y allá regresaban a sus casas estudiantes ruidosos y tambaleantes. Con frecuencia había sentido la discrepancia entre su absurda alegría y mi vida solitaria, a veces con una sensación de envidia y otras con sarcasmo. Pero nunca había sentido con tanta tranquilidad e intensidad lo poco que aquello me importaba, lo lejano y remoto que me resultaba aquel mundo. Me acordé de los honrados filisteos de mi ciudad natal, viejos señores rebosantes de dignidad que conservaban los recuerdos de sus años estudiantiles como la memoria de un bienaventurado paraíso y consagraban a la perdida "libertad" de aquellos años un culto como el que los poetas y otros románticos dedican su infancia.

¡En todas partes sucedía lo mismo! Todos los hombres buscan la "libertad" y la "felicidad" en un punto cualquiera del pasado, sólo por miedo a ver alzarse ante ellos la visión de la responsabilidad propia y del propio singular camino. Durante un par de años alborotaban y bebían, para someterse luego al rebaño y convertirse en señores graves al servicio del Estado. Era verdad lo que Demian afirmaba: nuestro mundo estaba carcomido, y esta estupidez estudiantil era aún menos estúpida y menos despreciable que cien otras.

Cuando llegué a mi apartada casa y me metí en la cama, estas ideas desaparecieron y todo mi pensamiento se concentró en la promesa que aquel día me había deparado. Cuando yo quisiera mañana mismo vería a la madre de Demian. ¡Que los estudiantes siguieran emborrachándose y tatuándose las caras; que el mundo estuviera corrupto y a punto de hundirse! ¡A mí que me importaba! Yo sólo esperaba que mi destino viniera al encuentro de una nueva imagen.

Dormí profundamente hasta muy entrada la mañana. El nuevo día amaneció para mí como una festividad solemne, de aquellas que no había vuelto a vivir desde mis Navidades infantiles. Una íntima agitación invadía todo mi ser, pero sin mezcla de temor alguno. Sentía que había comenzado un día decisivo para mí, y veía y sentía transformado el mundo en torno a mí, expectante, comprensivo y solemne. También la mansa lluvia otoñal se me antojaba bella, serena y dominguera, plena de una musicalidad gravemente gozosa. Por primera vez se fundían para mí el mundo exterior y el interior en una pura armonía, fiesta del alma que hace amable la vida.

Ninguna casa, ningún escaparate, ningún rostro en la calle me molestaba; todo era como tenía que ser, pero sin el aspecto vacío de lo cotidiano y acostumbrado: era naturaleza expectante, preparada respetuosamente a recibir al destino. Así había visto yo de niño el mundo en las mañanas de las grandes fiestas, en Navidad y en la Pascua. No creía que el mundo pudiera ser tan hermoso. Me había acostumbrado a vivir replegado en mí mismo y me había hecho a la idea de que había perdido el sentido por lo que pasaba fuera, de que la pérdida de los colores luminosos estaba inevitablemente unida a la pérdida de la infancia y que había que pagar la libertad y madurez del alma con la renuncia a ese suave resplandor. Ahora descubría emocionado que todo aquello había estado sólo tapado y oscurecido y que era posible también, como hombre libre que ha renunciado a la felicidad de la infancia, ver refulgir el mundo y disfrutar de la visión infantil.

Llegó la hora en que me encontré de nuevo ante el jardín a cuya puerta me había despedido de Max Demian la noche anterior. Escondida detrás de una cortina de los altos árboles, grises bajo la lluvia, se alzaba una casita clara e íntima, a través de cuyas relucientes ventanas se veían las paredes interiores, de color oscuro, con cuadros y filas de libros. La puerta principal conducía inmediatamente a un saloncito de entrada, confortable y tibio. Una vieja criada silenciosa, vestida de negro, con un delantal blanco, me introdujo en él, y me ayudó a quitarme el abrigo.

Me dejó solo en el saloncito. Miré en torno a mí y enseguida me sentí trasladado a mi sueño. Arriba, en la pared de madera oscura, sobre una puerta colgada en un marco negro y protegido por un cristal, un cuadro muy conocido para mí, el pájaro con la cabeza amarilla de gavilán, saliendo del cascarón del mundo. Emocionado, permanecí inmóvil; sentí una extraña alegría mezclada con dolor, como si en ese momento todo lo que había hecho y vivido hasta ahora volviera a mí en forma de respuesta o consumación. Como un relámpago pasó ante mis ojos una multitud de imágenes: la casa paterna con el viejo escudo de piedra sobre el portal; Demian, aún chiquillo, dibujando el escudo; yo mismo, también un niño, bajo la nefasta influencia de mi enemigo Kromer; yo de joven, en mi cuarto de colegial, dibujando en mi mesa el pájaro de mis sueños con el alma enredada en la red de sus propios hilos. Y todo lo vivido hasta este momento resonaba en mi interior, era aceptado, afirmado y aprobado.

Con los ojos empañados miraba fijamente mi dibujo y leía en mí mismo. De repente, hube de bajar la mirada; bajo el cuadro, en el hueco de la puerta abierta, se erguía una mujer de arrogante estatura vestida de oscuro: era ella.

No fui capaz de articular ni una palabra. La hermosa y respetable dama me sonrió con un rostro que, como el de su hijo no tenía edad e irradiaba una viva voluntad. Su mirada era la máxima realización, su saludo significaba el retorno al hogar. En silencio le tendí las manos. Ella las tomó con manos firmes y cálidas.

Usted es Sinclair. Enseguida le he reconocido. ¡Bienvenido!

Su voz era profunda y cálida. Yo le bebí como un dulce vino. Alcé los ojos y contemplé su rostro sereno, sus negros ojos insondables, su boca fresca y madura, su frente despejada y majestuosa, en la que aparecía grabado el signo.

—¡Qué dichoso soy! —le dije, y besé sus manos—. Me parece haber estado toda mi vida de viaje y llegar ahora a mi patria.

Ella sonrió maternal.

—A la patria nunca se llega —dijo amablemente—. Pero cuando los caminos amigos se cruzan, todo el universo parece por un momento la patria anhelada.

Expresaba así lo que yo había sentido en mi camino hacia ella. Su voz y también sus palabras eran muy parecidas a las de su hijo y, sin embargo, diferentes. Todo en ella era más maduro, más cálido y más natural. Pero lo mismo que Max nunca dio la impresión de ser un chico, tampoco ella parecía madre de un hijo mayor; tan joven y dulce era el resplandor de su rostro y de su pelo, tan tersa y lisa era su piel dorada, tan floreciente su boca. Se erguía ante mí más grandiosa que en mi sueño; y en su proximidad era la felicidad, su mirada el cumplimiento de todas las promesas.

Tal era, pues la nueva imagen en que se me mostraba mi destino, ya no severa y dolorosa, sino madura y paciente. No tomé resolución alguna ni hice ningún juramento... Había llegado a una meta, a una cima de mi camino, desde la cual lo veía seguir, dilatado y esplendoroso, hacia la tierra de promisión, sombreado por los venturosos árboles de una cercana dicha y aromado por los frescos perfumes de cercanos jardines placenteros. Fuese de mí lo que fuese, me sentía ya feliz de saber en el mundo a aquella mujer, beber su voz y respirar su presencia. Lo que para mí fuera no importaba: madre, amante o diosa. Me bastaba saberla viva y que mi camino avanzase cercano al suyo.

Me señaló mi dibujo encima de la puerta:

—Nunca procuró usted a nuestro Max alegría mayor que cuando envió este dibujo —dijo reflexivamente—. También me alegró. Lo esperábamos; y cuando llegó el cuadro supimos que estaba ya en camino hacia nosotros. Cuando usted era un niño, Sinclair, vino mi hijo un día del colegio y me dijo: "hay un chico que lleva la señal sobre la frente. Tiene que ser mi amigo". Era usted. No ha tenido un camino fácil, pero nosotros confiábamos en usted. Una vez, durante las vacaciones en casa, tuvo un encuentro con Max. Entonces tendría usted unos dieciséis años. Max me lo contó.

Yo la interrumpí:

—Siento que le hablase también de aquel encuentro. Fue mi época peor y más miserable.

—Sí, Max me dijo: "Ahora tiene Sinclair ante sí lo más difícil. Ha emprendido una nueva tentativa de refugiarse en la colectividad, incluso se pasa el día en las tabernas. La señal ha eclipsado en su frente, pero sigue quemándole en secreto". ¿No era así?

—¡Oh, sí! Así fue exactamente. Entonces encontré a Beatrice y por fin apareció un guía. Se llamaba Pistorius. Me di cuenta de por qué mi infancia había estado tan ligada a Max, de por qué no podía liberarme de él. Querida señora, querida madre, en aquellos días creía muchas veces que tenía que quitarme la vida. ¿Es el camino tan difícil para todos?

Me pasó la mano por el pelo, suavemente, como el aire.

—Siempre es difícil nacer. El pájaro tiene que penar para salir de su cascarón, ya lo sabe usted. Pero vuelva usted ahora la vista atrás y pregúntese si, en realidad, fue tan penoso el camino. ¿Sólo penoso? ¿No fue también quizá bello? ¿Sabría usted acaso de otro más bello y más fácil?

Moví la cabeza dubitativo.

—Fue penoso —dije como adormecido—, fue penoso hasta que vino el sueño.

Ella asintió y me miró intensamente.

—Sí, hay que encontrar el sueño de cada uno, entonces el camino se hace fácil. Pero no hay ningún sueño eterno; a cada sueño le sustituye uno nuevo y no se debe intentar retener ninguno.

Me sobrecogí profundamente. ¿Era aquello un aviso? ¿Era ya una advertencia? Pero no me importaba; estaba dispuesto a dejarme conducir por ella y no preguntar por la meta.

—No sé —dije—, lo que ha de durar mi sueño. Quisiera que fuera eterno. Bajo la imagen del pájaro me ha salido a recibir el destino, como una madre, como una amada. A él le pertenezca y a nadie más.

—En tanto que el sueño sea su destino debe usted permanecerle fiel —confirmó ella gravemente.

Una profunda tristeza me invadió y un anhelo de morir en aquella hora encantada. Sentí manar en mí, irrefrenables, las lágrimas y dominarme. ¡Cuánto tiempo hacía que no había llorado!

Me separé bruscamente de su lado y, llegándome a la ventana, miré con ojos turbios por encima de las macetas en flor. A mi espalda oí su voz, tranquila, y sin embargo tan llena de ternura, como un vaso de vino colmado hasta el borde.

—Sinclair, es usted un niño. Su destino le quiere. Un día le pertenecerá por completo, como usted lo sueña, si usted le es fiel.

Me había serenado y volví de nuevo el rostro hacia ella. Me tendió la mano.

—Tengo unos pocos amigos —dijo sonriendo—, y pocos amigos íntimos que me llaman Frau Eva. Usted también me llamará así, si quiere.

Me condujo a la puerta, abrió e hizo un gesto hacia el jardín.

—Ahí encontrará a Max.

Bajo los altos árboles permanecía aturdido y emocionado, no sé si más despierto o más sumergido que nunca en mis sueños. La lluvia goteaba suavemente de las ramas. Entré lentamente en el jardín, que se extendía a lo largo de la orilla del río. Por fin encontré a Demian. Estaba en un pequeño cobertizo abierto, con el pecho descubierto, boxeando contra un saco de arena. Me detuve asombrado. Demian tenía un aspecto magnífico. El amplio pecho, la cabeza masculina y firme; los brazos levantados, con sus músculos tensos, eran fuertes y potentes; los movimientos surgían de la cintura, los hombros y los brazos como fuentes.

—¡Demian! —exclamé—. ¿Qué estás haciendo?

Rió alegremente.

—Me ejercito. He prometido al japonés luchar con él. Es ágil y astuto como un gato. Pero conmigo no ha de valerle. Me debe una pequeña humillación.

Se puso la camisa y la americana.

—Has visto ya a mi madre? —me preguntó.

—Sí. ¡Qué madre más maravillosa tienes, Demian! ¡Eva! ¡El nombre le va a la perfección! Es como la madre de todas las criaturas .

Me miró un momento con expresión pensativa.

—¿Sabes ya su nombre? ¡Puedes estar orgulloso muchacho! Eres el primero a quien se lo dice tan pronto.

A partir de este día entré y salí en la casa como un hijo y un hermano, pero también como un enamorado. Cuando, cerraba tras de mí la puerta del jardín, e incluso antes, en cuanto divisaba los altos árboles que en él crecían, me sentía afortunado y feliz. Fuera quedaba la "realidad", fuera había calles y casas, hombres e instituciones, bibliotecas y aulas... Aquí dentro había, en cambio, alma y amor; aquí dentro reinaban la fábula y el sueño. Pero vivíamos, en absoluto cerrados al mundo; a menudo vivíamos en nuestros pensamientos, y conversaciones, en medio de él, sólo que en otro campo: no estábamos separados de la mayoría por barreras, sino por una manera diferente de ver las cosas. Nuestra labor era formar una isla dentro del mundo, quizá dar ejemplo, en todo caso vivir la anunciación de otra posibilidad de vida. Yo, solitario tanto tiempo, conocí la comunión que es posible entre seres que han conocido la completa soledad. Nunca más, me sentí atraído a los banquetes de los dichosos, ni a las fiestas de los elegantes; nunca más tuve envidia o nostalgia de la amistad de los demás. Y, lentamente, fui iniciado en el misterio de los que llevan "la señal".

Para el mundo, nosotros, los marcados con ella, habíamos de pasar por hombres extraños, o incluso locos y hasta peligrosos. Éramos hombres que habíamos despertado o despertábamos y nuestra aspiración era llegar a una vigilia aún más perfecta, mientras que la aspiración y la felicidad de los demás estribaba en ligar cada vez más estrechamente sus opiniones, sus ideas y sus deberes, su vida y su fortuna, a los del rebaño. También aquí había un impulso, había fuerza y grandeza. Pero en tanto que nosotros, los marcados representábamos la voluntad de la Naturaleza hacia lo individual y lo futuro, los demás vivían en una voluntad de permanencia. Para la humanidad —a la que querían con la misma fuerza que nosotros— era algo acabado que había que conservar y proteger. Para nosotros, en cambio, la humanidad era un futuro lejano hacia el que todos nos movíamos, cuya imagen nadie conocía, cuyas leyes no estaban escritas en ninguna parte.

Además de Frau Eva, Max y yo, pertenecían a nuestro círculo, más o menos íntimamente, otros que también buscaban. Entre ellos había astrólogos y caballistas, un discípulo de Tolstoi y toda clase de individuos sensibles, delicados y tímidos, adeptos de nuevas sectas, naturalistas y vegetarianos. Otros, más próximos a nosotros, perseguían en el pasado los afanes de la humanidad en busca de dioses y de nuevas imágenes optativas, y sus estudios me recordaban con frecuencia los de mi amigo Pistorius. Traían libros, nos traducían textos en antiguas lenguas, nos mostraban reproducciones de símbolos y ritos pasados y nos enseñaban a ver cómo todo el patrimonio de la humanidad consistía, hasta ahora, en ideales extraídos de sueños del alma inconsciente, de sueños en los cuales la humanidad seguía a tientas los vislumbres de sus posibilidades futuras. Así recorrimos el maravilloso y multiforme laberinto de dioses de la antigüedad hasta los albores del amanecer cristiano.

Conocimos las confesiones de los solitarios y las transformaciones de las religiones en la transmisión de un pueblo a otro. De todo lo que fuimos reuniendo resultó una crítica de nuestro tiempo y de la Europa actual, que con un esfuerzo tremendo había dado al hombre nuevas y poderosas armas pero que había caído por fin en una profunda y estremecedora desolación del espíritu. Había ganado el mundo pero había perdido su alma en la empresa.

También en cuanto a esta cuestión había defensores y adeptos de esperanzas y doctrinas redentoras muy diversas. Había budistas que querían convertir a Europa, discípulos de Tolstoi y de otras muchas tendencias.

Nosotros, en nuestro círculo más íntimo, escuchábamos todo y aceptábamos estas doctrinas simplemente como símbolos. Nosotros, los marcados, no debíamos preocuparnos por la estructuración del porvenir. Cada confesión, cada doctrina salvadora, nos parecía de antemano muerta y sin sentido. Sólo concebíamos como deber y destino el que cada cual llegara a ser completamente él mismo, que viviera entregado tan por completo a la fuerza de la naturaleza en él activa que el destino incierto le encontrara preparado para todo, trajera lo que trajera.

Pues todos, confesándolo o no, sentíamos cercano y perceptible ya un ocaso de lo actual, y una nueva aurora. Demian me decía a veces: "No es posible imaginar lo que vendrá. El alma de Europa es un animal que ha permanecido mucho tiempo encadenado. Cuando recobre la libertad no es de esperar que sus primeros impulsos sean muy amables. Pero ni los caminos ni los rodeos importan si al fin ha de surgir a la luz la verdadera necesidad del alma, adormecida y engañada durante tanto tiempo. Y este día será el nuestro, será él día en que nos necesitarán no como guías o nuevos legisladores —porque nosotros no viviremos las nuevas leyes— sino como seres dispuestos a seguir y a acudir donde el destino nos reclame. Mira, todos los hombres son capaces de hacer lo increíble cuando están amenazados sus ideales. Pero ninguno está dispuesto cuando se presenta un nuevo ideal, un nuevo movimiento de expansión quizá peligroso y misterioso. Los pocos que estaremos marcados, como estaba marcado Caín, para despertar miedo y odio y sacar a la humanidad de su idílica estrechez hacia lejanías de peligro. Todos los hombres que han actuado sobre la marcha de la humanidad, todos ellos, sin excepción ni diferencia, han podido hacerlo porque estaban prontos al destino. Lo mismo Moisés que Buda, Napoleón o Bismarck. Nadie puede elegir la onda a la que ha de obedecer ni el polo desde el cual ha de ser regido. Si Bismarck hubiese comprendido a los socialdemócratas y hubiera acogido sus inspiraciones, hubiera sido un político prudente, pero no un hombre del destino. Y lo mínimo pasó con Napoleón, con César, con Ignacio de Loyola, con todos ellos. Hay que imaginarse todo esto desde un punto de vista biológico e histórico. Cuando las transformaciones de la corteza terrestre arrojaron a los animales acuáticos a la tierra, y a los animales terrestres a las aguas, fueron los ejemplares preparados a aceptar el destino lo que pudieron amoldarse a lo nuevo e inesperado y salvar así su especie. No sabemos si tales ejemplares eran los que antes habían destacado como conservadores o, por el contrario, como originales y revolucionarios. Estaban preparados, y por eso salvaron su especie para las nuevas evoluciones. Eso es lo que sabemos. Por eso queremos estar preparados".

A estas conversaciones asistía muchas veces Frau Eva, pero no tomaba parte activa en ellas. Para cada uno de nosotros era, cuando así exteriorizábamos nuestros pensamientos, un oído atento y un eco lleno de confianza y de comprensión. Parecía que todas nuestras ideas emanaban de ella y a ella volvían. Sentirme cerca de ella, oír de cuando en cuando su voz y participar del ambiente de madurez y espiritualidad que la rodeaba era para mí la felicidad.

Ella notaba enseguida cuándo se producía en mí un cambio, una confusión o una renovación. Me parecía que los sueños que yo tenía al dormir eran inspiraciones suyas. Muchas veces se los contaba y le resultaban comprensibles y naturales; no había dificultades que ella no siguiera con su clara intuición. Durante un tiempo tuve sueños que eran como reproducciones de nuestras conversaciones del día. Soñaba que todo el mundo estaba revolucionando y que yo, sólo o con Demian, esperaba tenso el gran destino. Éste permanecía oculto pero llevaba los rasgos de Frau Eva: ser elegido o rechazado por ella era el destino.

A veces me decía sonriente:

—No es ése todo su sueño, Sinclair. Ha olvidado usted lo mejor.

Y, en efecto, solía recordar entonces nuevos fragmentos de mi sueño, sin acertar a explicarme cómo podía haberlos olvidado.

En ocasiones me sentía descontento y atormentado de deseos. Creía no poder soportar ya por más tiempo tenerla a mi lado sin estrecharla entre mis brazos. También esto lo advirtió ella enseguida y al verme llegar una tarde a su casa, agitado y confuso, después de varios días de retraimiento, me llevó aparte y me dijo:

—No debe usted entregarse a deseos en los que no cree. Sé lo que usted desea. Tiene usted que abandonarlos o desearlos de verdad y por entero. Cuando llegue usted a pedir llevando en sí la plena seguridad de lograr su deseo, la demanda y la satisfacción coincidirán en un solo instante. Pero usted desea y se reprocha, temeroso, sus deseos. Tiene usted que dominar todo eso. Voy a contarle una conseja.

Y me contó la historia de un muchacho enamorado de una estrella. Adoraba a su estrella junto al mar, tendía sus brazos hacia ella, soñaba con ella y le dirigía todos sus pensamientos. Pero sabía, o creía saber, que una estrella no puede ser abrazada por un ser humano. Creía que su destino era amar a una estrella sin esperanza; y sobre esta idea construyó todo un poema vital de renuncia y de sufrimiento silencioso y fiel que habría de purificarle y perfeccionarle. Todos sus sueños se concentraban en la estrella. Una noche estaba de nuevo junto al mar, sobre un acantilado, contemplando su estrella y ardiendo de amor hacia ella. En el momento de mayor pasión dio unos pasos hacia adelante y se lanzó al vacío, a su encuentro. Pero en el instante de tirarse pensó que era imposible y cayó a la plaza destrozado. No había sabido amar. Si en el momento de lanzarse hubiera tenido la fuerza de creer firmemente en la realización de su amor, hubiese volado hacia arriba a reunirse con su estrella.

—El amor no se debe pedir —continuó—, ni exigir tampoco. Ha de tener la fuerza de llegar en sí mismo a la certeza, y entonces atrae ya en lugar de ser extraído. Sinclair, su amor es ahora atraído por mí. Cuando llegue a atraerme, entonces acudiré. No quiero hacer un regalo, quiero ser ganada.

Tiempo después me contó otra historia. Érase un hombre que amaba sin esperanza. Se había encerrado por entero dentro de sí e imaginaba irse consumiendo en la llama de su amor. El mundo desapareció para él. No veía el cielo azul ni el bosque verde, no oía el murmullo del arroyo ni los sones del arpa; todo en derredor suyo se había desvanecido, dejándolo abandonado y miserable. Su amor creció, sin embargo, de tal suerte que prefirió consumirse y morir en su hoguera antes que renunciar a la posesión de aquella mujer. Y entonces sintió que su amor devoraba todo lo que en él había distinto, se hacía poderoso e imponía a la amada lejana su imperiosa atracción, haciéndola acudir a su lado. Pero cuando abrió los brazos para recibirla en ellos, la advirtió transformada, y vio y sintió, sobrecogido, que había atraído a sí, todo el mundo perdido. Estaba allí, ante él, y se le daba por entero, cielo, bosque y arroyo volvían a él, con nuevos colores, llenos de vida y de luz, le pertenecían y hablaban su lenguaje. Y en lugar de ganar tan sólo una mujer, tenía el mundo entero en su corazón y cada una de las estrellas del cielo resplandecía en él e irradiaba placer por toda su alma... Había amado y, a través del amor, se había encontrado a sí mismo. La mayoría ama para perderse.

Mi amor hacia Frau Eva era el único sentido de mi vida. Pero ella cambiaba cada día. A veces creía sentir con seguridad que no era su persona por la que se sentía atraída mi alma, sino que ella era un símbolo de mi propio interior que me conducía más y más hacia a mí mismo. A menudo oía palabras de ella que me parecían respuestas de mi subconsciente a preguntas acuciantes que me atormentaban. Había momentos en los que me devoraba el deseo y besaba los objetos que habían tocado sus manos. Y lentamente fueron superponiéndose el amor sensual y el amor espiritual, la realidad y el símbolo. Podía suceder que en mi habitación pensara en ella con tranquila intensidad y sintiera su mano en mi mano y sus labios en los míos. O estar a su lado, contemplar su rostro, hablarle y oírla hablar y no saber fijamente, sin embargo, si su presencia era real y no soñada. Comencé a vislumbrar cómo un amor podía ser perdurable e inmortal. Al descubrir en la lectura de un libro una nueva idea, era como si Eva me hubiese besado, y cuando ella pasaba su mano sobre mis cabellos e irradiaba hacia mí, en una sonrisa, su maduro calor aromado, era como si hubiese realizado dentro de mí un magno progreso espiritual. Todo lo que me era importante, todo lo que para mí era destino, podía tomar su figura. Podía transformarse en cada uno de mis pensamientos, y cada uno de mis pensamientos en ella.

Había temido las vacaciones de Navidad, que pasé en casa de mis padres, porque creía que iba a ser un tormento vivir dos semanas enteras lejos de Frau Eva. Pero no lo fue. Era una delicia estar en casa y pensar en ella. Cuando volví a H. pasé aún dos días sin ir a casa para disfrutar de aquella seguridad e independencia de su presencia física. También tenía sueños en los que mi unión con ella se realizaba en nuevas formas simbólicas. Ella era un mar en el que yo desembocaba. Era una estrella y yo otra que caminaba hacia ella; y nos encontrábamos, nos sentíamos atraídos mutuamente, permanecíamos juntos, girando dichosamente el uno en torno al otro en órbitas próximas y armónicas.

La primera vez que fui a verla, después de las vacaciones, conté a Eva este sueño.

—Un bello sueño, Sinclair —me dijo—. Hágalo usted realidad.

Próxima ya la primavera, hubo un día que jamás olvidaré. Llegué a casa de Max en las primeras horas de la tarde. Una de las ventanas de la entrada estaba abierta, y la brisa tibia arrastraba por la estancia el denso perfume de los jacintos. No viendo a nadie, subí al estudio de Max. Llamé ligeramente y entré sin esperar respuesta, como otras tantas veces.

La habitación estaba oscura, las cortinas cerradas. La puerta del cuartito en el que Max Demian había instalado un laboratorio químico estaba abierta. Desde allí llegaba la luz clara y blanca del sol primaveral a través de las nubes. Yo creí que no había nadie y corrí las cortinas.

Cerca de la otra ventana, acurrucado en una silla y singularmente cambiado, estaba Max Demian. La sensación de haber vivido ya otra vez aquel instante me recorrió como un rayo. Demian permanecía inmóvil, laxos los brazos y caídas las manos sobre los muslos. Inclinado hacia adelante, miraba sin ver, con ojos muy abiertos, ciegos e inanimados, en cuya pupila relucía muerto, un reflejo de luz, duro y frío, como un trozo de cristal. Su rostro pálido y ensimismado, semejante a una antiquísima carátula zoomórfica del pórtico de un templo. Parecía no respirar.

Los recuerdos me inundaron; así, exactamente así, le había visto ya una vez, hacía muchos años, cuando yo aún era un chico. Como ahora, sus ojos estaban vueltos hacia dentro, sus manos inmóviles, una junto a otra, una mosca le había paseado por la cara. Y entones hacía quizá seis años, había tenido el mismo aspecto, tan joven y tan intemporal; ni un rasgo de su cara era hoy diferente.

Sobrecogido por un repentino miedo, salí del cuarto y bajé la escalera. En la entrada hallé a Eva. Estaba pálida y parecía fatigada, como jamás la había visto. Una sombra penetraba por la ventana. El resplandor blanco y crudo del sol había desaparecido de pronto.

—Estuve en la habitación de Max —musité agitado—. ¿Ha sucedido algo? Está dormido o ensimismado, no lo sé. Ya le he visto una vez así.

—¡No lo habrá usted despertado! —dijo rápida. —No, no me ha oído. He salido enseguida de su cuarto. Pero dígame usted, Eva, ¿qué le ocurre?

Ella se pasó la mano por la frente.

—Esté tranquilo, Sinclair, no le pasa nada. Se ha retirado. No tardará en volver.

Se puso en pie y salió al jardín, a pesar de que empezaba a llover. Intuí que no debía acompañarla. Anduve de un lado a otro de la habitación, en medio del enervante aroma de los jacintos; contemplé mi dibujo con el pájaro, encima de la puerta, y respiré oprimido, la extraña sombra que aquel día llenaba la casa. ¿Qué significaba todo esto? ¿Qué había pasado?

Frau Eva volvió pronto. Las gotas de lluvia brillaban en su pelo negro. Se sentó en su sillón. El cansancio la inundaba. Me acerqué a ella, me incliné y besé las gotas que temblaban en su pelo. Sus ojos estaban claros y serenos, pero las gotas me supieron a lágrimas.

—¿Quiere usted que suba otra vez al lado de Max? —murmuré.

Ella sonrió débilmente.

—No sea usted niño, Sinclair —me amonestó en voz alta, como para romper el sortilegio—. Váyase ahora y vuelva más tarde. Ahora no puedo hablar con usted.

Salí y huí de la casa y de la ciudad, hacia las montañas. La fina lluvia oblicua caía silenciosa y las nubes volaban bajas y atemorizadas bajo una poderosa visión. Abajo, a ras de tierra, apenas corría el viento que, en cambio, parecía reinar, tempestuoso en las alturas. Por entre el acero gris de las nubes rompía de cuando en cuando, un instante, el resplandor solar, pálido y crudo.

Entonces apareció sobre el cielo una nube ligera y amarilla; se agolpó contra el muro de nubarrones grises, y en pocos minutos el viento formó con el amarillo y el azul una imagen, un gigantesco pájaro, que se despegaba del caos azul y desaparecía con amplios aletazos en el cielo. En ese momento se desencadenó la tormenta y la lluvia cayó a torrentes mezclada con granizo. Un trueno breve, inverosímil y terrible, crepitó sobre el paisaje azotado; un poco más tarde volvió a romper el sol y sobre las cercanas montañas, más allá del bosque marrón, brilló mortecina e irreal la pálida nieve. Cuando regresé, mojado y sin aliento, me abrió la puerta Demian. Subí con él a su cuarto. En el laboratorio lucía un mechero de gas y en derredor de él había varios papeles. Parecía haber estado trabajando.

—Siéntate —me dijo—. Estarás cansado. Hace un tiempo de perros y se ve que has estado vagando por ahí. Enseguida traerán el té.

—Hoy sucede algo —comenté vacilante—; no puede ser sólo la pequeña tormenta.

Me miró inquisitivamente.

—¿Has visto algo?

—Sí. Vi durante un instante claramente una imagen en las nubes.

—¿Qué imagen?

—Era un pájaro.

—¿El gavilán? ¿Seguro? ¿El pájaro de los sueños? —Sí. Mi gavilán. Amarillo y gigantesco voló, adentrándose en el cielo azul oscuro.

Demian respiró profundamente.

Llamaron a la puerta. La vieja criada trajo el té. —Sírvete, Sinclair... ¿No habrá sido una casualidad?

—No, Demian. Esas cosas no se ven nunca por casualidad.

—Tienes razón. Ha de significar algo. ¿Sabes qué? —No. Siento tan sólo que significa una conmoción, un paso en el destino. Creo que nos atañe a todos.

Demian paseaba, agitado, de un lado a otro. —Un paso en el destino —exclamó—. Lo mismo he soñado yo esta noche; y mi madre tuvo ayer un presentimiento que le decía lo mismo. Yo he soñado que subía por una escalera, a lo largo de un tronco o de una torre, el país en llamas; era una gran llanura con ciudades y pueblos. Aún no te lo puedo explicar del todo, no lo veo muy claro.

—¿Y ese sueño lo refieres a ti? —pregunté.

—¿A mí? Pues claro. Nadie sueña cosas que no se refieren a él. Pero no me atañe a mí sólo; tienes razón. Yo distingo bien los sueños que me anuncian movimientos de mi alma y los otros, muy raros, en los que se presagia el destino de éstos, y nunca uno del que pudiera decir que ha sido una profecía y que se haya cumplido. La interpretación es siempre incierta. Pero lo que sí sé fijamente es que he soñado algo que no se refiere tan sólo a mí mismo. Mi sueño continúa otros anteriores, en los que vi los presagios de que ya te he hablado. El que nuestro mundo esté carcomido no sería razón suficiente para profetizar su ruina o algo semejante. Pero desde hace ya varios años vengo teniendo sueños de los cuales deduzco que se acerca el derrumbamiento de un mundo viejo. Al principio fueron vislumbres muy lejanos y débiles, pero luego se han hecho cada vez más precisos y fuertes. Aún no sé más que se avecina algo grande y terrible que me concierne. Sinclair, vamos a vivir lo que hemos discutido más de una vez. El mundo quiere renovarse. Huele a muerte. No hay nada nuevo sin la muerte. Es más terrible de lo que yo había pensado.

Sobrecogido, lo miré fijamente.

—¿No puedes contarme el resto de tu sueño? —rogué con timidez.

Tuvo un enérgico ademán negativo:

—No.

La puerta se abrió y entró Frau Eva.

—¿Aún aquí, criaturas? ¿Estáis tristes?

Toda expresión de fatiga había desaparecido de su rostro. Demian la miró sonriendo. Venía a nosotros como la madre que acude a tranquilizar a sus hijos asustados.

—Tristes, no, madre; sólo hemos meditado un poco sobre los nuevos signos. Pero no tienen que preocuparnos. Lo que tenga que venir, vendrá de pronto; y entonces sabremos lo que necesitamos saber.

Me sentía muy mal; y cuando me despedí y atravesé solo el salón, el perfume de los jacintos me pareció marchito, insípido y fúnebre. Una sombra se había cernido sobre nosotros.

8 EL PRINCIPIO DEL FIN

Había conseguido que se me permitiera permanecer aún en H. durante los cursos de verano. Pasábamos el día fuera de la casa, en el jardín, junto al río. El japonés había partido, después de quedar vencido en su pugilato con Demian según todas las reglas del arte. También el discípulo de Tolstoi nos había dejado. Demian salía a caballo todos los días y yo pasaba largos ratos a solas con su madre.

A veces me asombraba la paz de mi vida. Estaba tan acostumbrado a estar solo, a renunciar, a debatirme trabajosamente con mis penas, que estos meses en H. me parecían una isla de ensueño en la que me estaba permitido vivir tranquilo y como hechizado entre cosas y sentimientos bellos y agradables. Sentía que aquello era el preludio de la nueva comunidad superior en que nosotros pensábamos Pero poco a poco me fue invadiendo la tristeza ante tanta felicidad, pues comprendí que no podía ser duradera No me estaba concedido vivir en la abundancia y el placer; mi destino era la pena y la inquietud. Sentía que algún día habría de despertar de aquellas gratas imágenes de amor y encontrarme de nuevo solo, totalmente aislado en el mundo frío de los demás, donde no había para mí sino soledad o lucha y no paz y comunidad.

En estos periodos de tristeza respiraba con más ansiosa ternura de la proximidad de Eva. Gozoso de que mi destino mostrase aún sus bellos rasgos serenos. Las semanas de verano pasaron rápida y ligeramente. El semestre se aproximaba a su fin. La despedida era inminente; no debía pensar en ella y tampoco lo hacía, disfrutando, por el contrario, de los maravillosos días como la mariposa de la flor. Aquello había sido mi época de felicidad, la primera realización plena de mi vida y mi acogida en aquella unión; ¿qué vendría después? Tendría que volver a luchar, a sufrir nostalgias, a estar solo.

Este presentimiento me invadió un día con tal fuerza que mi amor hacia Frau Eva ardió de repente en una dolorosa llamarada. Pronto no la vería ya, no oiría su paso firme y bueno a través de la casa, ni encontraría sus flores sobre mi mesa. ¿Y qué había alcanzado? Había soñado y me había mecido en su dulce calma, en lugar de ganarle, en lugar de luchar por ella y arrastrarla a mi lado para siempre. Recordé todo lo que me había dicho sobre el amor verdadero, palabras de sutil consejo, palabras de latente atracción, quizá promesas. ¿Qué había hecho yo de todo ello? Nada. Absolutamente nada.

Me planté en medio de mi habitación, concentré toda mi conciencia y pensé en Frau Eva. Quería encontrar las fuerzas de mi alma para hacerle sentir mi amor, para atraerla hacia mí. Tenía que venir y desear mi abrazo; mi beso tenía que explorar insaciable sus labios maduros de amor.

Permanecí en tensión hasta que empecé a quedarme frío desde las puntas de los dedos. Sentía que irradiaba fuerza. Por un momento algo se contrajo fuerte e intensamente en mi interior, algo claro y frío. Tuve por un momento la sensación de llevar un cristal en el corazón y supe que aquello era mi yo. El frío que inundó mi pecho.

Al despertar de esta terrible tensión sentí que algo venía hacia mí. Estaba mortalmente agotado, pero pronto al ver entrar a Eva en la habitación, abrasada y radiante.

El duro galopar de un caballo resonó lejano, al extremo de la larga calle, y fue acercándose rápido hasta detenerse ante mi puerta. Salté a la ventana y vi desmontar a Demian. En el acto corrí a su encuentro escaleras abajo.

—¿Qué pasa, Demian? ¿Le ha sucedido algo a tu madre?

No escuchó mis palabras. Venía pálido y el sudor le corría a ambos lados de la frente y resbalaba por las mejillas. Ató las riendas de su caballo a la verja del jardín, me tomó del brazo y echó a andar conmigo calle abajo.

—¿Sabes ya lo que ha pasado?

Yo no sabía nada.

Demian me apretó el brazo y volvió el rostro hacia mí con una extraña mirada, oscura y compasiva.

—Sí, amigo; la cosa va a estallar. Ya sabes que hay graves tensiones con Rusia...

—¿Qué? ¿Hay guerra? Nunca creí que fuera a ocurrir.

Demian hablaba muy bajo, aunque no había nadie en los alrededores.

—Aún no se ha declarado. Pero hay guerra. Seguro. Desde aquel día no te he vuelto a molestar con mis visiones, pero ya he tenido tres nuevos avisos. Así que no será el fin del mundo, ni un terremoto, ni una revolución. Será la guerra. ¡Ya verás qué impacto! La gente la recibirá con alegría. Ya hay muchos que esperan impacientes la explosión. ¡Tan insípida se ha hecho la vida! Y esto es sólo un comienzo, Sinclair. Será quizá una gran guerra, una guerra monstruosa. Pero, aun así, tampoco será más que un comienzo. Lo nuevo se inicia y ha de ser terrible para aquellos que permanecen ligados a lo antiguo. ¿Qué vas a hacer tú?

Me sentía confuso. Todo aquello me parecía aún extraño e inverosímil.

—No lo sé. ¿Y tú?

Se encogió de hombros.

—En cuanto movilicen, me incorporaré. Soy oficial.

—¿Tú? ¡No lo sabía!

—Sí. Fue una de mis adaptaciones. Ya sabes que nunca me gustó llamar la atención y que siempre me he esforzado en ser correcto. Creo que dentro de ocho días estaré en el frente.

—¡Dios mío!

—No tienes que tomarlo tan a la tremenda. En el fondo no me va a hacer ninguna gracia ordenar que disparen sobre seres vivos, pero eso no tiene importancia. Ahora todos entraremos en la gran rueda. Tú también. Te llamarán a filas.

—¿Y tu madre, Demian?

Ahora volví a acordarme de lo que había pasado un cuarto de hora antes. ¡Cómo se había transformado el mundo! Había concentrado todas mis fuerzas para conjurar la imagen más dulce; y ahora, de pronto, el destino me salía al encuentro tras una máscara amenazadora y terrible.

—¿Mi madre? No tiene por qué preocuparnos. Está segura. Más segura que nadie hoy en el mundo... ¿Tanto la amas?

—¿Lo sabías, Demian?

Rió claro y franco.

—¡Criatura! Naturalmente que lo sabía. Nadie ha llamado a mi madre por su nombre, nadie le ha dicho Eva sin amarla. Pero, dime, ¿qué ha pasado hoy? La has llamado, ¿no? ¿O a mí?

—Sí. He llamado... Llamaba a Eva.

—Ella lo ha notado. De pronto me mandó marchar; me dijo que tenía que venir a verte. Acababa de contarle las noticias de Rusia.

Volvimos y ya no hablamos más. Demian soltó su caballo y montó.

En mi cuarto me di cuenta de lo agotado que estaba por las noticias de Demian, pero aún más por el esfuerzo anterior. ¡Frau Eva me había oído! ¡La había alcanzado con mis pensamientos en medio del corazón! Hubiera venido ella misma... si no... ¡Qué extraño y qué hermoso era todo en el fondo! Y ahora vendría la guerra. Ahora sucedería lo que habíamos discutido tantas y tantas veces. Demian lo había presagiado. La corriente del mundo no iba a pasar de largo a nuestro lado, sino directamente, a través de nuestros corazones; la aventura y los más violentos destinos nos llamaban, y se acercaba el momento en que el mundo quería transformarse y nos necesitaba. Demian tenía razón: no había por qué sentirse sentimental. Pero resultaba harto singular que algo tan solo y aislado como el "destino" hubiera de convivirlo con tantos otros, en el mundo entero.

Estaba pronto. Cuando, al atardecer, salí por la ciudad, reinaba en ella máxima agitación. La palabra "guerra" sonaba en todas partes.

Fui a casa de Frau Eva y cenamos en el jardín. Yo era el único invitado. Nadie habló ni una palabra sobre la guerra. Más tarde, antes de despedirme, Frau Eva me dijo:

—Querido Sinclair, me ha llamado usted hoy. Ya sabe por qué no he acudido. Pero no lo olvide; ahora conoce usted la llamada y siempre que necesite usted a alguien que lleve el estigma, llame usted.

Se levantó y echó a andar delante de nosotros por la oscuridad del jardín. Alta y majestuosa caminaba, enigmática, entre los árboles silenciosos, mientras brillaban sobre su cabeza, pequeñas y delicadas, millares de estrellas.

Llegó ya el final. Las cosas siguieron rápidas su camino. Estalló la guerra y Demian partió, singularmente cambiado, dentro de su uniforme y su capote gris. Al regreso acompañé a su madre hasta la casa. También yo me despedí de ella al poco tiempo. Me besó en la boca y me retuvo un instante contra su pecho, mientras sus grandes ojos ardían fijos y cercanos en los míos.

Todos los hombres estaban hermanados. Hablaban de la patria y el honor; pero era el destino al que por un instante todos miraban al rostro desnudo. Hombres jóvenes salían de los cuarteles y subían a los trenes; y en muchos rostros vi el estigma —no el nuestro—, una señal hermosa y honorable que significaba amor y muerte. También a mí me abrazaron gentes a las que no había visto nunca; yo lo comprendía y les correspondía gustoso. Era una embriaguez la que les impulsaba, no una aceptación del destino; pero era una embriaguez sagrada y provenía de la breve y definitiva confrontación con el destino.

Era ya casi invierno cuando llegué al frente.

Al principio, y a pesar de las sensaciones del combate, me sentí defraudado. Antes me había preguntado muchas veces cómo eran tan pocos los hombres que conseguían vivir para un ideal. Ahora advertía que todos los hombres son capaces de morir por un ideal, pero no ha de ser un ideal suyo, libremente elegido, sino un ideal común y transmitido.

Sin embargo, al cabo de algún tiempo hube de confesarme que había estimado a los hombres en menos de lo que realmente valían. A pesar de la uniformidad que les imprimía el servicio militar y el peligro común, vi a muchos acercarse arrogantemente a la voluntad del destino, en plena vida o a punto de morir. Muchos mostraban en todo momento, y no sólo en el del ataque, aquella mirada firme, lejana y enajenada que no sabe de fin ninguno y supone una completa entrega a lo monstruoso. Cualesquiera que fuesen sus ideas y opiniones, aquellos hombres estaban prontos, eran aprovechables y podrían servir para conformar el futuro. No importaba que el fondo pareciera seguir obstinadamente fijo en sus antiguos ideales, en su concepto tradicional de la guerra, el heroísmo y el honor, y que toda voz verdadera humanidad, sonara más lejana e irreal que nunca. Todo ello se quedaba en la superficie, al igual que la cuestión de los fines exteriores y políticos de la guerra. Al fondo había algo en gestación. Algo como una nueva humanidad. Porque había muchos —más de uno murió a mi lado— que habían comprendido que el odio, la ira, el matar y aniquilar no estaban unidos al objeto de la guerra. No, el objeto y los objetivos eran completamente casuales. Los sentimientos primitivos, hasta los más salvajes, no estaban dirigidos al enemigo; su acción sangrienta era sólo reflejo del interior, del alma dividida, que necesitaba desfogarse, matar, aniquilar y morir para poder nacer. Un pájaro gigantesco luchaba por salir del cascarón; el cascarón era el mundo, y el mundo tenía que caer hecho pedazos.

Una noche de primavera yo hacía guardia delante de una granja que habíamos ocupado. Un viento flojo soplaba en ráfagas caprichosas; por el alto cielo de Flandes corrían ejércitos de nubes entre las que se asomaba la luna. Había estado muy inquieto todo el día por algo que me preocupaba. Ahora, en mi puesto oscuro, pensaba intensamente en las imágenes gigantescas y oscilantes, pensaba con fervor en las imágenes que constituían mi vida, en Frau Eva, en Demian. Apoyado contra un álamo contemplaba el cielo inquieto en el que las manchas claras, misteriosamente dinámicas, se transformaban en grandes y palpitantes secuencias de imágenes. Sentía, por la extraña intermitencia de mi pulso, por la insensibilidad de mi piel al viento y a la lluvia, por la luminosa claridad anterior, que cerca de mí había un guía.

En las nubes se veía una gran ciudad, de la que fluían millones de hombres que se desparramaban en enjambres por amplios paisajes. En medio de ellos marchaba una poderosa divinidad, sembrando de chispeantes estrellas el cabello y grande como una montaña. Su rostro era el de Eva. En ella entraron los grupos de hombres como en una caverna gigantesca y desaparecieron. La diosa se sentó en el suelo. En su frente resplandecía la señal. Parecía sufrir el imperio de sueño, cerró los ojos y su amplio rostro se contrajo en gesto de dolor. De repente, lanzó un grito agudo y de su frente saltaron estrellas, muchos miles de estrellas resplandecientes, que volaron por el cielo negro en magníficas curvas.

Una de las estrellas vino vibrante hacia mí; parecía buscarme. Explotó rugiendo en mil chispas, me levantó del suelo y volvió a estamparme contra él. El mundo se desmoronó con ruido atronador en torno a mí. Me hallaron junto al álamo, cubierto de tierra y con muchas heridas.

Estaba tendido en una cueva, mientras los cañones retumbaban sobre mí. Me encontré luego en un carro, dando tumbos por caminos desiertos. La mayor parte del tiempo dormía o yacía sin conocimiento. Pero cuanto más profundo era mi sueño más violentamente me sentía atraído por algo exterior a mí. Obedecía a una fuerza que era dueña de mí.

Estaba tendido en un establo, sobre la paja, en la más negra oscuridad. Alguien me había pisado una mano. Pero mi interior quería seguir adelante: una fuerza imperiosa me atraía fuera de allí. De nuevo viajé tendido en un coche y luego en una camilla sobre una escalera, y cada vez me sentía más imperiosamente llamado a algún lugar. Sólo sentía la necesidad de llegar, por fin, a él.

Llegué a mi destino. Era de noche; estaba completamente consciente, unos momentos antes había sentido poderosamente el deseo y la atracción. Ahora me encontraba en una sala tumbado en el suelo, y pensé que era allí de donde me habían llamado. Miré a mi alrededor, junto a mi colchoneta había otra y un hombre sobre ella. Se irguió un poco y me miró. Llevaba la marca en la frente. Era Max Demian.

No pude hablar; tampoco él pudo, o quizá no quiso. Sólo me miraba atentamente. Sobre su rostro daba la luz de un farol que pendía en la pared sobre su cabeza. Me sonrió.

Estuvo un largo rato mirándome con fijeza a los ojos. Lentamente acercó su rostro al mío, hasta que casi nos tocamos.

—¡Sinclair! —murmuró.

Con los ojos le di a entender que le oía.

Sonrió de nuevo, casi compasivo.

—¡Sinclair! ¡Criatura! —dijo sonriendo.

Su boca estaba ahora muy cerca de la mía. Siguió hablando en voz baja.

—¿Te acuerdas de Franz Kromer?

Le hice un signo y pude también sonreír.

—Sinclair, pequeño, óyeme bien. He de partir. Quizá alguna vez vuelvas a necesitarme contra Kromer o contra otro cualquiera. Cuando entonces me llames no vendré ya tan toscamente, a caballo o en el tren. Tendrás que escuchar en ti mismo, y entonces advertirás que yo estoy dentro de ti. ¿Comprendes? Otra cosa aún. Eva me dijo que si alguna vez te iba mal, te diera el beso que ella me dio al partir... Cierra los ojos Sinclair.

Cerré obediente los ojos y sentí un beso leve sobre mis labios, en los que seguía teniendo un poco de sangre, que parecía no querer desaparecer nunca. Entonces me dormí.

Por la mañana me despertaron para curarme. Cuando estuve despierto del todo, me volví rápidamente hacia el colchón vecino. Sobre él yacía un hombre extraño al que nunca había visto.

La cura me hizo daño. Todo lo que después me ha sucedido me ha hecho daño. Pero cuando alguna vez encuentro la llave y desciendo a mí mismo, allí, donde, en un oscuro espejo dormitan las imágenes del destino, me basta inclinarme sobre su negra superficie acerada para ver en él mi propia imagen, semejante ya en un todo a él, a él, mi amigo y mi guía.

Indice

LISTA DE TÍTULOS APARECIDOS EN ESTA CASA EDITORIAL

COLECCIÓN CLÁSICOS

EL PRINCIPITO
Antoine de Saint Exupéry

LA METAMORFOSIS
Franz Kafka

EL ORIGEN DE LA VIDA
A. Oparin

EL VIEJO Y EL MAR
Ernest Heminway

MEXICO BARBARO
John Kennet Turner

UN MUNDO FELIZ
Aldous Huxley

EI DIARIO DE ANA FRANK
Ana Frank

LOS CAZADORES DE MICROBIOS
Paul de Kruif

MARIANELA
Benito Pérez Galdós

VEINTE POEMAS DE AMOR Y UNA CANCIÓN DESESPERADA
Pablo Neruda

ROMEO Y JULIETA
William Shakespeare

DEMIAN
Hermann Hesse

SIDDHARTHA
Hermann Hesse

CUENTOS DE LA SELVA
Horacio Quiroga

EL PRINCIPE
Nicolás Maquiavelo

LOS MEJORES CUENTOS DE OSCAR WILDE
Oscar Wilde

CORAZÓN DIARIO DE UN NIÑO
Edmundo de Amicis

HAMLET
William Shakespeare

OTELO
William Shakespeare

EL MERCADER DE VENECIA
William Shakespeare

BAJO LA RUEDA
Hermann Hesse

EL ANTICRISTO
Friedrich Nietzsche

EL ARTE DE LA GUERRA
Sun Tzu

ASI HABLABA ZARATUSTRA
Friedrich Nietzsche

LAS AVENTURAS DE TOM SAWYER
Mark Twain

AZUL
Rubén Darío

BODAS DE SANGRE
Federico García Lorca

CARTA AL PADRE
Franz Kafka

LA CASA DE BERNARDA ALBA
Federico García Lorca

CLEMENCIA
Ignacio Manuel Altamirano

CONOCE EL SIGNIFICADO DE TUS SUEÑOS (ILUSTRADO)
Varios

LA ILIADA
Homero

EL LOBO ESTEPARIO
Hermann Hesse

CUENTOS DE AMOR, LOCURA Y MUERTE
Horacio Quiroga

MACBETH
William Shakespeare

EL MEJOR REGALO ESPECIALMENTE PARA TI
Juan Morales Martínez

LOS MEJORES CUENTOS DE ANDERSEN
H. Christian Andersn

LAS MIL Y UNA NOCHES
Anónimo

MUJERCITAS
Louise Alcot

NARRACIONES EXTRAORDINARIAS
Edgar Allan Poe

NAVIDAD EN LAS MONTAÑAS
Ignacio Manuel Altamirano

NIEBLA
Miguel de Unamuno

LA ODISEA
Homero

PLATERO Y YO
Juan Ramón jiménez

EL POEMA DEL MIO CID
Anónimo

POPOL VUH
Antiguas leyendas del Maya Quiché

EL RETRATO DE DORIAN GRAY
Oscar Wilde

LOS TITANES DE LA LITERATURA INFANTIL
Varios

UN BONITO NOMBRE PARA TU BEBÉ
Varios

LA VIDA ES SUEÑO
Calderón de la Barca

YERMA
Fedrico Gacía Lorca

EL ZARCO
Ignacio Manuel Altamirano

Esta obra se terminó de imprimir
en los talleres de Ediciones Leyenda,
Ciudad Universitaria No. 11,
Colonia Metropolitana 2a. Sección,
Ciudad Nezahualcóyotl,
Estado de México, C.P. 57730.